Geneviève-Dominique de SALINS
Sabine DUPRÉ LA TOUR

D1097629

# EXERCICES
# DE GRAMMAIRE

# PERFECTIONNEMENT

## HATIER

# SOMMAIRE

# AVANT-PROPOS

## I. Intentions et objectifs :

*Exercices de grammaire pour le perfectionnement* est destiné au recyclage et au perfectionnement des apprenants de français qui possèdent déjà les bases morpho-syntaxiques de la langue mais qui veulent :
• approfondir leurs connaissances des mécanismes grammaticaux
• réfléchir sur les valeurs sémantiques de certains microsystèmes de la langue
• améliorer leur performance en compréhension et en expression écrites.

Tout comme *Premiers exercices de grammaire* et *Nouveaux exercices de grammaire*, *Exercices de grammaire pour le perfectionnement* s'inscrit dans une perspective communicative et interactive : il s'agit d'apprendre à « communiquer avec des textes », de favoriser la réflexion, le débat, la controverse à propos de textes, d'échanger des points de vue et d'exprimer sa conception du fonctionnement et des emplois de certains microsystèmes du langage en situation.
Par respect de la cohérence propre à toute lecture et par respect de la fonction communicative du langage, *Exercices de grammaire pour le perfectionnement* est aussi présenté sous forme de dossiers thématisés, ce qui provoque plus naturellement le débat d'idées, suscite l'intérêt du lecteur, facilite sa compréhension et son appropriation d'expressions nouvelles en situation langagière authentique.
Bien évidemment, les types de discours choisis dans ces dossiers autorisent une manifestation naturelle du ou des problèmes de grammaire abordés. Ainsi, les textes proposés pour les exercices de reconnaissance, notamment, ne sont pas des « prétextes » à la réalisation en langage des points de grammaire, mais leur lieu discursif authentique. Cependant, pour les besoins de la cause pédagogique, l'occurrence des microsystèmes étudiés y est plus dense qu'à l'ordinaire.

## II. Conseils d'utilisation

Chaque dossier est présenté selon la progression pédagogique caractéristique des *Premiers exercices de grammaire* et des *Nouveaux exercices de grammaire* :

• **Exercice de « sensibilisation »** : il introduit le thème du dossier par des illustrations et présente certaines occurrences du ou des points de grammaire. Cette activité doit être essentiellement communicative et susciter la discussion en groupe.

• **Exercices de « reconnaissance »** : ces exercices sont encadrés et donnent lieu tout d'abord à une lecture et à des commentaires sur le thème. Il s'agit dans un second temps de relever les différentes occurrences du ou des points de grammaire proposés à l'étude et de formuler des hypothèses quant à leur fonctionnement grammatical. Ce sont les apprenants eux-mêmes qui devront proposer leurs hypothèses, hypothèses qui seront confirmées ou infirmées par l'enseignant et le groupe. Le relevé des occurrences consiste à souligner, à encadrer ou à marquer en couleur la présence du point de grammaire dont l'emploi ou les emplois seront alors analysés.

• **Exercices en losange :** lieu d'applications pratiques des hypothèses formulées au cours de l'exercice de reconnaissance, ces activités sont de types variés (allant de l'exercice à trous à l'exercice de conceptualisation métalinguistique) qui permettent une pratique raisonnée du point de grammaire. Ces exercices sont également thématisés et il serait normal qu'ils donnent lieu à des discussions ou à des remarques autres que grammaticales !

• **Exercices en cercle :** ils indiquent la nécessité d'une plus grande créativité de la part des apprenants qui doivent rédiger des textes relativement longs où devraient se manifester au moins quelques occurrences du point de grammaire qu'ils ont maintenant compris.

• **Encadré de synthèse :** dans cet encadré se trouvent des explications grammaticales et des exemples d'emploi du ou des points de grammaire qui ont fait l'objet des pages précédentes. Il est à noter qu'une certaine terminologie grammaticale relativement traditionnelle a été employée pour la formulation des règles. Ceci est une nouveauté par rapport à *Premiers exercices de grammaire* et *Nouveaux exercices de grammaire*. Ce métalangage a été sciemment édulcoré — peut-être même trop simplifié — mais il ne s'agit pas ici de faire de la théorie linguistique, il s'agit d'essayer de formuler le plus clairement possible une conceptualisation nécessaire à un niveau d'apprentissage avancé. L'encadré de synthèse peut être consulté par les apprenants **après** qu'ils auront terminé l'exercice de reconnaissance.

*Exercices de grammaire pour le perfectionnement* met en œuvre une pédagogie de la **découverte**. Les tâches essentielles consistent à **observer**, **relever** et **comparer** des microsystèmes grammaticaux et à **proposer** une règle de fonctionnement ou une règle d'emploi. L'objectif est de faire saisir aux apprenants qu'ils sont capables de conceptualiser par eux-mêmes les mécanismes de la langue, à condition d'examiner judicieusement le corpus proposé à leur réflexion.

*Exercices de grammaire pour le perfectionnement* opte donc pour une certaine autonomie de l'apprentissage.

## III. Contenu grammatical

Certains dossiers (dossiers 2/3/8) reprennent des microsystèmes déjà partiellement connus des apprenants mais il s'agit d'en approfondir les valeurs, les emplois et le fonctionnement. Les apprenants avancés y trouveront une réponse à certaines de leurs interrogations : comment éviter l'ambiguïté possible du pronom **il/elle** ? Quelle est la différence d'emploi entre le **plus-que-parfait** et le **passé antérieur** ? Quelle est la différence d'usage et de fonction de l'**article défini** et de l'**article indéfini** ?

D'autres dossiers (dossiers 4/5/6/7) traitent de points de syntaxe : le **gérondif**, les **participes**, les **phrases clivées** et les **constructions verbales**. En étudiant ces problèmes syntaxiques, les apprenants sont amenés à revoir et à comparer les différentes phrases complexes abordées dans *Nouveaux exercices de grammaire* : les relatives, les causales, les concessives, les conditionnelles et les complétives.

Il est à noter que les difficultés étudiées dans *Exercices de grammaire pour le perfectionnement* sont d'ordres différents : les unes plus syntaxiques, les autres plus sémantiques. En outre, les dossiers sont plus ou moins volumineux mais des subdivisions sont marquées par la présence d'un encadré de synthèse. De toute façon, à l'intérieur de chaque dossier, des unités de travail se dégagent aisément, à savoir : l'encadré de reconnaissance et ses exercices en losange. Il revient donc à l'enseignant de choisir sa progression d'utilisation en fonction des rythmes et des besoins du groupe auquel il s'adresse. De plus, selon l'importance des dossiers, il est vivement recommandé de **ne pas traiter le tout successivement !** Mieux vaut sélectionner ici et là dans le cahier **une unité** de travail.

Somme toute, *Exercices de grammaire pour le perfectionnement* invite les utilisateurs à se promener d'un dossier à l'autre, sans s'essouffler le long du chemin. De brèves excursions d'un thème à l'autre, d'un point de grammaire à l'autre permettront de varier les activités et maintiendront l'intérêt et la curiosité.

## IV. Conclusion

Globalement, *Exercices de grammaire pour le perfectionnement* invite les apprenants avancés à une pratique raisonnée qui leur permettra de faire le point sur leur compréhension de certains microsystèmes épineux et de vérifier l'ensemble de leurs connaissances grammaticales. Cette pratique exige des opérations d'induction et de déduction qui favorisent et construisent tout apprentissage.

# DOSSIER 1

## Actualités, culture et jeux

Place des adjectifs épithètes

Le tabac blond serait plus nocif que le tabac brun

Danse classique et moderne

Concert de jazz dans l'ancienne salle des fêtes

le petit Alain retrouvé !

GRANDE FÊTE MUNICIPALE le 15 août

Mauvais temps prévu sur la région parisienne

Bibliothèque nationale en grève

Prochaine sortie des grands Prix littéraires

Première victoire niçoise

GRANDES MANIFESTATIONS DES ÉCOLES PUBLIQUES

Les jeux internationaux de Roland Garros auront-ils lieu ?

Augmentation des alcools et du tabac le mois prochain

Soldes exceptionnels dans les grands magasins parisiens

7

## Jeu des associations

| A | B |
|---|---|
| vilain | camarades |
| beau | lettre |
| bon | discours |
| gentil | année |
| long | fleurs |
| nouveau | humeur |
| joli | espoir |
| mauvais | amie |
| grand | mère |
| jeune | père |
| vieux | nouvelles |
| cher | chances |
| gros | chagrin |
| petit | |

**1. Choisissez un mot de la colonne Ⓐ et associez-le à un mot de la colonne Ⓑ.**

...................................................
............... un *gros* chagrin ...............
........... de *grandes* chances ...........
...................................................
...................................................
...................................................
...................................................
...................................................
...................................................
...................................................

**2. Proposez des mots de la colonne Ⓐ pour compléter la lettre suivante :**

« .......... père et mère,

Pour la .......... année, j'ai l'intention de vous présenter une .......... amie qui n'est jamais de .......... humeur. Je ne vous ferai pas de .......... discours à son sujet ! Sachez seulement que c'est la sœur de mon .......... camarade de lycée, celui qui passe son temps à cultiver de si .......... fleurs ! J'ai le .......... espoir de vous rendre bientôt .......... père et .......... mère ! C'est une .......... nouvelle, n'est-ce pas ? »

**3. Que peut-on constater à propos des adjectifs de la colonne Ⓐ ? Où se placent-ils par rapport aux noms de la colonne Ⓑ ?**

...................................................
...................................................

8

## Jeux : des formes et des couleurs

**Code de la route :**

Que signifie un panneau triangulaire ?

Que signifie un panneau rond ?

Que signifie un panneau rectangulaire ou carré ?

Que signifie le signal vert ?

Que signifie le signal orange ?

**1. Langage des fleurs :**

Je signifie la passion, qui suis-je ?

........................................................................................

Je signifie l'amour, qui suis-je ?

........................................................................................

Je signifie l'amitié, qui suis-je ?

........................................................................................

Je signifie la jalousie, qui suis-je ?

........................................................................................

Je signifie la pureté, qui suis-je ?

........................................................................................

**2. Langage des vêtements :**

J'indique que j'ai perdu un membre de ma famille

........................................................................................

J'indique une cérémonie heureuse : mariage, par exemple

........................................................................................

Je suis un symbole politique

........................................................................................

Je suis un symbole écologique

........................................................................................

**3. Quelle conclusion tirer quant à la place des adjectifs de formes / couleurs ?**

........................................................................................

# Des miroirs qui mentent !

 |

| une ancienne voiture | une voiture ancienne |
| un brave soldat | un soldat brave |
| mon vieil ami | un ami très vieux |
| une certaine intelligence | une intelligence certaine |
| mes chers trésors | des trésors très chers |
| différentes histoires | une / des histoire(s) différente(s) |
| un grand scientifique | un scientifique très grand |
| tes propres enfants | des enfants propres |
| un pauvre homme | un homme pauvre |
| la / les dernière(s) année(s) | l'année dernière |
| un seul enfant | un enfant seul |

**3** **Proposez un groupe de la colonne**  **ou un groupe de la colonne**  **pour compléter l'histoire suivante :**

« .............................. de la vie sont difficiles pour tout le monde surtout pour mon

.............................. D'abord, pendant la guerre, cet ami fut ....................

............ puis .............................. qui reçut le prix Nobel de chimie. Il est

vrai qu'il possédait .............................. que tout le monde admirait ! C'est lui

qui a éduqué .............................. Il promenait cet enfant qu'il appelait toujours

« .............................. » dans .............................. qui datait de la Première

Guerre mondiale ! Maintenant, .............................. vit tout seul, délaissé par

.............................. De .............................. vient encore le voir de temps

en temps et, bien qu'ils aient vécu .............................. pendant la guerre, ils se

comprennent très bien ! »

10

## Information-éclair

Voici le premier succès de la relance économique : par décision municipale, un nouvel hôtel sera mis en construction dans la zone urbaine de Loctudy. « Nous voulons, a dit le maire, que cet hôtel ait un confort moderne, des prix modiques mais aussi un personnel efficace. » Pour les uns, c'est le signe d'une éclatante victoire de la droite, pour les autres, c'est le signe éclatant d'une politique déplorable. « Oui, c'est une décision déplorable, qui aura des conséquences désastreuses ! Oui, de désastreuses conséquences, notamment sur l'environnement », a déclaré le chef de l'opposition.

 **Établissez deux listes Ⓐ et Ⓑ, à partir des adjectifs proposés :** la liste Ⓐ représente des adjectifs toujours placés après le nom, la liste Ⓑ, les adjectifs qui peuvent se placer après ou avant les noms. Essayez de définir ce qu'il y a de différent entre les adjectifs de la classe Ⓐ et ceux de la classe Ⓑ.

| A | B | Adjectifs proposés |
|---|---|---|
| Toujours après le nom : | Après ou avant le nom : | présidentiel |
| | | médical |
| | | abominable |
| | | délicieux |
| | | général |
| | | public |
| | | méprisable |
| | | adorable |
| | | américain |
| | | parisien |
| | | politique |
| | | admirable |
| | | terrible |
| | | tellurique |
| | | systématique |
| | | atomique |
| | | superbe |
| | | éclatant |
| | | considérable |
| | | municipal |
| | | bordelais |
| | | chimique |
| | | économique |
| | | douloureux |
| | | célèbre |

**5** **1. Réfléchissez aux places que les adjectifs peuvent occuper par rapport aux noms :**

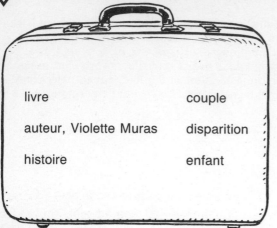

livre                                couple

auteur, Violette Muras        disparition

histoire                            enfant

nouveau        déchiré

célèbre          accidentel

douloureux     petit

**2. Reconstituez une information littéraire à partir des groupes nominaux obtenus :**

«  ..................................................................................................................

................................................................................................................

..............................................................................................................  »

**6** **1. Retrouvez les trois adjectifs qui se placent toujours après le nom :**

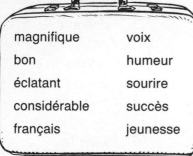

magnifique     voix

bon               humeur

éclatant         sourire

considérable   succès

français          jeunesse

splendide        réception

merveilleux      spectacle

américain        chanteuse

municipal        Madonna

                     salle

**2. Reconstituez en deux phrases le compte-rendu d'une soirée culturelle à Deauville.**

«  ..................................................................................................................

................................................................................................................

................................................................................................................

................................................................................................................

..............................................................................................................  »

## Les grands titres des informations

- Une terrible secousse tellurique : conséquences tragiques
- Un tragique accident routier entre Bordeaux et Tours
- Une sage décision gouvernementale : les soins médicaux seront dorénavant gratuits
- Une éclatante victoire sportive française !
- Une menace considérable : Où vont les dangereux déchets atomiques ?
- Les prochaines grandes célébrations de 1989
- Le nouveau spectacle musical italien

 **Reconstruisez les informations :**

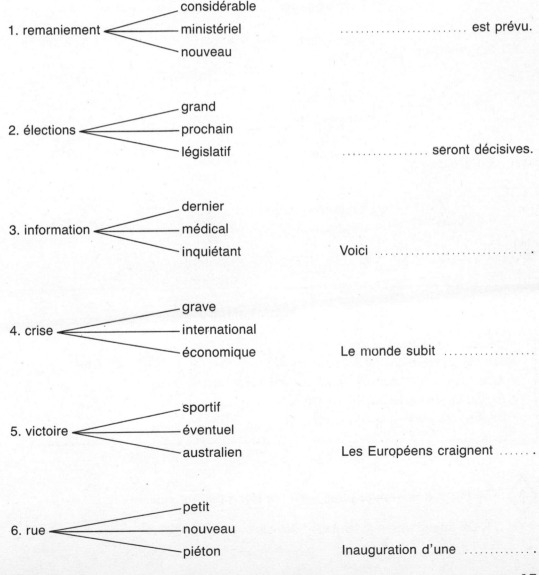

1. remaniement
   - considérable
   - ministériel
   - nouveau

......................... est prévu.

2. élections
   - grand
   - prochain
   - législatif

................. seront décisives.

3. information
   - dernier
   - médical
   - inquiétant

Voici ............................. .

4. crise
   - grave
   - international
   - économique

Le monde subit ................

5. victoire
   - sportif
   - éventuel
   - australien

Les Européens craignent .......

6. rue
   - petit
   - nouveau
   - piéton

Inauguration d'une ............

13

## Titres de journaux

- Élections législatives et municipales
- Armement offensif et défensif
- Armement offensif inquiétant !
- Armement défensif nécessaire
- Les lois nationales et internationales

- Une loi internationale contestable
- Décision nationale efficace
- L'équipe chirurgicale et médicale réagit !
- Spectacle grandiose et admirable
- Temps pluvieux et nuageux

1. Décision — politique / économique

.................................................

2. Décision — politique / inadmissible

.................................................
.................................................

3. Retrait — immédiat / total

.................................................

4. Retrait — stratégique / immédiat

.................................................

5. Résultat — financier / concret

.................................................

6. Recherches — anthropologique / sociologique

.................................................

## Manchettes

- Décision gouvernementale attendue.
- Sommet international prévu pour janvier.
- Aide financière demandée au Fonds Monétaire International.
- Exigences syndicales reconnues par le ministre.
- Expériences génétiques contestées.

9 • **Rédigez des grands titres pour les informations suivantes :**

1. On attend une augmentation des allocations familiales

.................................................................................

2. On prévoit un temps orageux

................................................................................

3. On a obtenu la libération des otages

................................................................................

4. On a interdit la manifestation étudiante

................................................................................

5. On recherche des volontaires pour une mission difficile

................................................................................

6. Les chefs politiques ont été reçus à l'Élysée

................................................................................

7. On exige le retrait immédiat des forces armées

................................................................................

8. On a obtenu un délai de paiement

................................................................................


● **Quelles conclusions tirer quant à la place de ces participes passés employés comme adjectifs ?**

................................................................................


(10) **Jeu progressif ! Inventez des grands titres de journaux !**


1. ● Découverte scientifique
   ● Grande découverte scientifique
   ● Grande découverte scientifique suédoise
   ● Première grande découverte scientifique suédoise !
   ● Sensationnelle découverte scientifique suédoise annoncée !

2. ● ................................................................
   ● ................................................................
   ● ................................................................
   ● ................................................................

3. ● ................................................................
   ● ................................................................
   ● ................................................................
   ● ................................................................

Certains adjectifs qualificatifs dits « courts » se placent devant le nom : *long, petit, grand, joli, beau, jeune, cher, bon* etc.

Certains adjectifs changent de sens lorsqu'ils passent après le nom :
> un enfant *seul* / un *seul* enfant

Placés devant le nom, ces adjectifs ont un sens « figuré » où donnent lieu à un nom composé : *grand-mère, petite-fille, sage-femme*. Ils reprennent un sens « propre » placés après le nom.

Les adjectifs **spécifiques** ou **classifiants** se placent toujours après le nom :
> l'étoile *rouge*, un drapeau *blanc*
> une forme *hexagonale*, un panneau *triangulaire*
> un palais *présidentiel*, une fête *foraine*, une secousse *tellurique*

Les adjectifs **qualificatifs appréciatifs** et **non classifiants** se placent soit avant soit après le nom :
> un *violent* orage / un orage *violent*
> une *douloureuse* histoire / une histoire *douloureuse*
> une *admirable* aventure / une aventure *admirable*

Lorsque le nom est spécifié par plusieurs adjectifs classifiants, c'est le plus essentiel de ces adjectifs qui vient en premier après le nom, les autres suivent par ordre d'importance :
> une décision *économique* *française*

Lorsque le nom est à la fois **spécifié** et **qualifié**, deux possibilités se présentent :
ou bien l'adjectif qualificatif suit l'adjectif spécifique :
> une décision *gouvernementale* *dangereuse*

ou bien l'adjectif qualificatif est placé devant le nom :
> une *dangereuse* décision *gouvernementale*

Quant à l'adjectif spécifique, il garde toujours sa place immédiatement après le nom.

Seuls des adjectifs de même espèce peuvent être coordonnés :
> une décision *présidentielle* et *gouvernementale*
> une décision *admirable* et *efficace*

ou encore :
> une *admirable* et *efficace* décision présidentielle

**Les participes passés**, employés comme adjectifs qualificatifs, se placent en dernière position de la série d'adjectifs classifiant ou qualifiant le nom à droite :
> une construction hexagonale *proposée*
> une décision économique française *attendue*

Il semble difficile d'accumuler autour du nom plus de quatre adjectifs :
> un *nouveau* *grand* succès *sportif* *allemand*
> un *grand* succès *sportif* *allemand* *attendu*
> une *étonnante* découverte *scientifique* *américaine* *annoncée*
> un *prochain* *grand* sommet *économique* *européen*

# DOSSIER 2

## Fenêtres sur rue

## Curiosité quotidienne

« Mais, elle ne pourra jamais l'abandonner ! ». Cette exclamation, Pierre l'entend en passant sur le boulevard Jourdan et il se demande évidemment de qui, de quoi, peuvent bien parler ces deux vieux qu'il vient de croiser.

« En tout cas, se dit-il, "elle", c'est sûrement une femme ! Il s'agit d'une femme mais qu'est-ce qu'elle refuse de quitter ? son appartement ? peut-être ? C'est l'appartement qu'elle a toujours occupé, sans doute ! Celui qu'elle a hérité de ses parents, qui sait ? La pauvre femme, elle devra abandonner cet appartement sûrement parce qu'elle est obligée de le faire. »

Pierre verse une larme de tristesse sur celle qu'il ne connaît pourtant pas.

« Mais non, je me trompe ! ce serait plutôt un petit enfant qu'on ne veut pas abandonner ! Cet enfant dont le père est mort est vraisemblablement très fragile et sa mère qui n'accepte pas de le mettre au collège, devra le faire prochainement ! Le pauvre petit ! » Pierre lui sourit comme s'il le voyait et verse une larme de tristesse sur celui qu'il ne connaîtra jamais.

« Pas du tout ! décidément je suis idiot ! se dit Pierre. Il s'agit très certainement d'une jeune fille qui va se marier. Elle vit avec sa vieille mère. Celle-ci est trop malade pour rester seule et par amour filial, la jeune fille refuse de la quitter ! »

Pierre verse alors une larme d'admiration pour celle dont l'amour filial est si fort !

« Mais non, voyons ! ce n'est pas du tout ça ! il s'agit sans aucun doute d'un homme qui maltraite sa femme et pourtant celle-ci refuse de le quitter ! » Pierre semble satisfait de cette explication. Il ne pleure pas sur cette malheureuse femme dont il vient d'évoquer la douloureuse histoire. Non, il ne rit plus, il ne pleure plus, mais il se tourmente parce qu'il ne saura jamais laquelle de ses hypothèses est la bonne !

# ENTENDU EN PASSANT

### 1 | Dans la rue :

« Il va tout saccager dans leur appartement ! »

**Faisons des hypothèses sur cette curieuse phrase !**
Qui est ce _il_ ? À qui appartient l'appartement ?

.................................................................................................................................

.................................................................................................................................

.................................................................................................................................

### 2 | Imaginez : Alain et Bernard se parlent dans la rue.
**Complétez leur conversation :**

1. _Alain_ :  — .........................................................................................................

   _Bernard_ : — Il va tout saccager dans leur appartement !

2. Alain n'est pas du tout d'accord avec ce commentaire de Bernard : comment peut-il justifier que l'appartement ne sera pas saccagé ?

   _Alain_ : « .........................................................................................................

   ................................................................................................................. »

3. Maintenant, Bernard s'intéresse à cette histoire et veut avoir des informations supplémentaires !

*Bernard* : — ............................................................................................

*Alain* :   — Il est adorable ! Ses pattes et sa queue sont noires, et il a les oreilles et le corps tout blancs !

*Bernard* : — ........................................................................................ ?

*Alain* :   — Mais non ! c'est un caniche nain !

4. Maintenant, Alain va donner une information surprenante à Bernard.

*Alain* :   — ............................................................................................

............................................................................................

*Bernard* : — Dans leur lit ? mais c'est de la folie ! c'est inimaginable !

5. Alain veut prouver que finalement cette situation est tout à fait normale :

*Alain* : « ............................................................................................

............................................................................................ »

**3** **Reconstituez le texte.** (Attention à la ponctuation ! Combien de phrases ?)

| | |
|---|---|
| paraît-il, | ............................................................ |
| J'ai entendu dire | ............................................................ |
| blanc et noir : | ............................................................ |
| un petit chien | ............................................................ |
| dans leur lit ! | ............................................................ |
| ce petit caniche | ............................................................ |
| que les Rivière | ............................................................ |
| c'est un caniche nain | ............................................................ |
| avaient acheté | ............................................................ |
| qu'ils emmènent partout | ............................................................ |
| couche, | ............................................................ |
| même au bureau ! | ............................................................ |
| avec eux, | ............................................................ |
| Ils aiment tellement | ............................................................ |
| Pour moi, | ............................................................ |
| que celui-ci | ............................................................ |
| c'est de la pure folie ! | ............................................................ |

**4** **Dans la rue :**

« il a tout saccagé dans son appartement »

**Trouvez trois histoires différentes** expliquant cet étrange comportement : attention, ces histoires doivent correspondre à trois « propriétaires » distincts.

1. ................................................................................................................
   ................................................................................................................
   ................................................................................................................
   ................................................................................................................
   ................................................................................................................
   ................................................................................................................

2. ................................................................................................................
   ................................................................................................................
   ................................................................................................................
   ................................................................................................................
   ................................................................................................................
   ................................................................................................................

3. ................................................................................................................
   ................................................................................................................
   ................................................................................................................
   ................................................................................................................
   ................................................................................................................
   ................................................................................................................

**5** **Dans l'autobus :**

« Comme il parlait sans arrêt, ils l'ont mis sur le balcon ! »

**Faites des hypothèses sur cette étrange phrase :**

................................................................................................................
................................................................................................................
................................................................................................................
................................................................................................................
................................................................................................................
................................................................................................................
................................................................................................................

**6**  ◆ **Un peu plus tard :**

« Il l'a ouverte tout seul et il s'est envolé sans leur dire au revoir ! »

**Pouvez-vous reconstituer ce dialogue entre Alain et Bernard ?**

1. *Alain* — ................................................................ a disparu !

   *Bernard* — Mais ............................. ?

   *Alain* — ................................................................ ont acheté dimanche !

2. *Bernard* — ................................................................ ?

   *Alain* — Comme il parlait toute la nuit, il l'ont mis sur le balcon !

   *Bernard* — Mais ................................................................ ?

   *Alain* — Bien sûr !

3. *Bernard* — Mais alors ................................................................ ?

   *Alain* — Il l'a ouverte tout seul et il s'est envolé sans leur dire au revoir !

   *Bernard* — Mais ................................................................ ?

   *Alain* — Ah ce n'est pas difficile ! il l'a ouverte avec ............................. !


**7**  ◆ **Dans un bureau :**

*Alain* — Il a pris celles de sa femme !
*Bernard* — Et les siennes ? qu'est-ce qu'il en a fait ?
*Alain* — Ah ça...

**Imaginez ce qui est arrivé à _il_ (que nous appellerons Monsieur Hervé) :**

................................................................................................

................................................................................................

................................................................................................

................................................................................................

................................................................................................


**8**  ◆ **Dans un autre bureau :**

*Alain* — Tu as vu ? ce sont sûrement celles de sa femme !!
*Bernard* — Bah ! de nos jours, tu sais...
*Alain* — Quand même !

**Pensez-vous que Alain et Bernard parlent toujours du même problème arrivé à Monsieur Hervé ?**

................................................................................................

................................................................................................

................................................................................................

................................................................................................

**9** ## Au commissariat de police :

« Mais non ! il a retrouvé les siennes dans sa poche ! »

Cette nouvelle histoire est moins simple ! De qui ? De quoi s'agit-il donc ?
**Trouvez au moins deux versions possibles !**

1. .................................................................................................................

.................................................................................................................

.................................................................................................................

2. .................................................................................................................

.................................................................................................................

.................................................................................................................


**10** ## À une table de restaurant :

*Jean* — Dis-moi, c'est le tien ?
*Pierre* — Ah non, c'est le mien !

1. De quoi peuvent bien parler ces deux amis ? De combien d'objets s'agit-il ?

.................................................................................................................

.................................................................................................................

.................................................................................................................

.................................................................................................................

2. Comment font-ils pour se comprendre ?

.................................................................................................................

.................................................................................................................

.................................................................................................................

.................................................................................................................

3. Vous voyez bien la scène à la table de Jean et Pierre ? **Alors racontez de façon précise ce qui s'est passé :**

.................................................................................................................

.................................................................................................................

.................................................................................................................

.................................................................................................................

.................................................................................................................

# LU DANS UN JOURNAL

 **Faits divers :**

« Après l'incendie, des témoins ont affirmé avoir vu un inconnu déposer un bidon d'essence dans la cage d'escalier. Des témoins du sinistre ont aussi entendu une femme hurler au cinquième étage. »

1. Est-ce que les témoins qui ont entendu la femme hurler sont les mêmes que ceux qui ont vu l'inconnu ?
Qu'est-ce qui le prouve ?

....................................................................................................................

....................................................................................................................

2. Comment faut-il transformer ce texte pour que l'on comprenne que ce sont les mêmes personnes qui ont vu et entendu les deux événements ?

a) en répétant le mot *témoins*

....................................................................................................................

....................................................................................................................

b) en remplaçant le mot *témoins* par un pronom de rappel :

....................................................................................................................

....................................................................................................................

c) en remplaçant le mot *témoins* par un autre nom :

....................................................................................................................

....................................................................................................................

**Reprenons notre lecture :**

« Après l'incendie, des témoins ont affirmé avoir vu un inconnu déposer un bidon dans la cage d'escalier. »

**Introduisez des détails physiques concernant l'***inconnu*** en utilisant à chaque fois un terme de rappel différent :

1. « Après l'incendie, des témoins ont affirmé avoir vu un inconnu déposer un bidon dans la cage d'escalier. ......................................................................

....................................................................................................................

............................................................................................................... »

2. « Après l'incendie, des témoins ont affirmé avoir vu un inconnu déposer un bidon dans la cage d'escalier. ......................................................................

....................................................................................................................

............................................................................................................... »

3. « Après l'incendie, des témoins ont affirmé avoir vu un inconnu déposer un bidon dans la cage d'escalier. ........................................................................

.........................................................................................................................

.................................................................................................................... »

4. « Après l'incendie, des témoins ont affirmé qu'un inconnu ...............................

............................................ avait déposé un bidon dans la cage d'escalier. »

## ⬧13⬧ ▌ Continuons notre lecture :

« Des témoins du sinistre ont entendu une femme hurler au cinquième étage. »

Cette information est trop brève ! **Récrivez ce texte** en introduisant des détails sur 1) le lieu : *au cinquième étage*, 2) la cause des hurlements de la femme :

« Des témoins du sinistre ont entendu une femme ................................................

.........................................................................................................................

.........................................................................................................................

.................................................................................................................... »

## ⬧14⬧ ▌ Reprenons une dernière fois notre lecture !

« Après l'incendie, des témoins ont affirmé avoir vu un inconnu... »

Le journaliste ne donne aucun détail sur l'incendie ! **Donnez des précisions** sur le temps et le lieu mais aussi sur les conséquences désastreuses du sinistre !

« Après l'incendie ...................................................................................................

.........................................................................................................................

............................................, des témoins ont affirmé avoir vu un inconnu. »

## ⬧15⬧ **Rédigez ce fait divers** en reprenant les différents détails que vous avez déjà proposés et qui pourront enfin satisfaire la curiosité des lecteurs !

.........................................................................................................................

.........................................................................................................................

.........................................................................................................................

.........................................................................................................................

.........................................................................................................................

.........................................................................................................................

.........................................................................................................................

.........................................................................................................................

# LU DANS UNE COPIE DE TRÈS JEUNE ÉLÈVE

 **Début de l'histoire :**

« J'ai vu un monsieur qui arrêtait sa voiture en face de la banque. Ses phares étaient cassés et elle était vieille. »

*ses* phares, *elle* ? de quoi parle-t-il donc ?
**Récrivez ce texte !**

« J'ai vu .................................................................................................

........................................................................................................

........................................................................................................

.................................................................................................... »


**Suite de cette histoire :**

« Il a pris son masque de clown et il a posé son masque de clown sur son capot de voiture. »

Attention aux répétitions de mots !
**Récrivez cette phrase !**

« Il a pris .................................................................................................

........................................................................................................

.................................................................................................... »


**Suite de l'histoire :**

« Il a regardé la banque mais sa porte était encore fermée. Quand le directeur l'a ouverte, avec son masque sur la tête, il est entré. »

Attention à *sa porte* ! Vous pouvez faire mieux ! Attention à *son masque* ! On ne sait plus qui le porte !
**Récrivez ces phrases !**

« Il a regardé .................................................................................................

........................................................................................................

........................................................................................................

........................................................................................................

.................................................................................................... »

## 19 Suite de l'histoire :

« Bien sûr, il a été très surpris mais surtout il a eu peur du masque. Heureusement son copain a sorti son revolver et l'autre a pu téléphoner à la police.

Attention ! on ne sait plus qui est *il*, on ne sait plus qui est *son copain*, ni qui est *l'autre* ! **Récrivez ces phrases !**

« ..............................................................................................................................
..............................................................................................................................
..............................................................................................................................
..............................................................................................................................
............................................................................................................................ »

## 20 Fin de l'histoire :

« Ils sont arrivés très vite et ils l'ont arrêté : alors, il les a remerciés. Les autres sont partis avec lui mais son masque est resté à la banque. »

Attention ! on ne sait plus qui est qui ! **Récrivez ces phrases :**

« ..............................................................................................................................
..............................................................................................................................
..............................................................................................................................
..............................................................................................................................
............................................................................................................................ »

## 21 Vous avez été témoin de cette tentative de cambriolage par l'homme masqué. **Écrivez votre déposition pour le commissariat :**

« Ce matin, ...........................................................................................................
..............................................................................................................................
..............................................................................................................................
..............................................................................................................................
..............................................................................................................................
..............................................................................................................................
..............................................................................................................................
..............................................................................................................................
............................................................................................................................ »

## Jeu des devinettes

« Quel est l'animal dont la peau n'est couverte ni de poils, ni de plumes, ni d'écailles, dont les membres sont si faibles qu'il ne peut pas marcher pendant plusieurs mois après sa naissance ? Quand il vieillit, sa peau se ride, ses membres s'affaiblissent, ses dents tombent, son crâne devient chauve. On en déplore souvent l'inconséquence mais on en admire cependant l'intelligence. Quel est cet animal dont la faiblesse est extrême bien qu'il soit le maître du monde ? »

**22**

1. « Quelle est la chose ........ personne n'a jamais vu ........ forme mais ........ ........ puissance est assez forte pour déraciner des arbres ou pour soulever des toits ? »

2. « Quel est le monument ................. hauteur est de 330 mètres, ................. murs ressemblent à de la dentelle et ................. fondements reposent sur terre comme quatre pattes de girafe ? »

3. « Quel est le héros romanesque ................. domestique s'appelle Sancho Pança et ................. aventures se passent en Espagne au XVIe siècle ? ........ cheval était Rocinante et ........ dame Dulcine. »

4. « Quel est le pays ................. forme ressemble à une botte ? »

5. « ........ chapeau est triangulaire, ........ yeux sont carrés, ........ bouche est rectangulaire, qui suis-je ? »

6. « On peut ................. détester ................. odeur, mais ................. adorer ................. goût. Qu'est-ce que c'est ? »

## Entendu dans une chambre d'hôpital:

— Alors, on a pris son cachet ?
— Ah non, on n'a pas encore eu le temps !
— On l'a pourtant posé sur la table de nuit !
— Oui, mais on n'a pas dit quand le prendre !
— Ah ! On fait le malin ? On va mieux alors ?
— On a dit qu'on allait sortir demain matin !
— On va être triste !
— Ah ! On va célébrer ça ! Mais, on se reverra bien, non ?
— Ça, on verra !

## ㉓ Qui sont donc tous ces « on » ?

1. À votre avis, combien de personnes se parlent dans cette curieuse conversation ?

..............................................................................................................................

..............................................................................................................................

2. Donnez des noms propres aux interlocuteurs :

..............................................................................................................................

..............................................................................................................................

3. Remplacez chaque *on* par un pronom personnel ou un nom de façon à clarifier cette étrange conversation :

— ............................................................................................................................

— ............................................................................................................................

— ............................................................................................................................

— ............................................................................................................................

— ............................................................................................................................

— ............................................................................................................................

— ............................................................................................................................

— ............................................................................................................................

— ............................................................................................................................

■ Les pronoms personnels, possessifs, relatifs, démonstratifs et les adjectifs possessifs et démonstratifs ont une **fonction de rappel** : c'est un moyen économique qui permet aux interlocuteurs de savoir qu'ils parlent bien de la même chose :

— *Tu connais Pierre ? Je l'ai vu hier, il partait à Rome.*
— *Tu lui as parlé ?*
— *Non, il était trop pressé mais j'ai discuté avec sa mère.*
— *Elle allait bien ?*
— *Oui, je lui ai apporté des fleurs, elle était contente.*
— *Moi, je ne l'ai pas vue depuis des années !*
— *Et celle de Jacques, tu l'as revue dernièrement ?*
— *La sienne non plus, je ne l'ai pas revue depuis longtemps.*
— *Je l'aimais bien, cette femme !*
— *Et moi donc ! figure-toi que c'est elle qui m'a appris à lire.*

Donc, la fonction essentielle de ces pronoms et des adjectifs est de créer une **chaîne de cohérence** dans les textes et la conversation.
L'article défini *le, la, les* remplit aussi cette fonction de rappel :
« *Un garçon de 8 ans est tombé dans la Seine, près du pont Neuf. Heureusement, l'enfant a pu être rapidement sauvé.* »


■ Les pronoms personnels et démonstratifs, les adjectifs démonstratifs peuvent avoir une **fonction déictique.** Ils permettent de faire directement référence à quelque chose ou à quelqu'un que l'on voit :

— *Ce verre, c'est le mien !*
— *Et celui-ci ?*
— *C'est celui de Pierre.*


■ Le pronom relatif *dont*, marque une relation d'appartenance au même titre que *son, sa, ses, leur, leurs* et *en* :

\* *J'ai vu un homme. Son nez était énorme !*
\*\*\* *J'ai vu un homme dont le nez était énorme !*

\* *La maison avait été cambriolée. Sa porte était restée ouverte.*
\*\*\* *La maison, dont la porte était restée ouverte, avait été cambriolée.*
\*\*\*\* *La maison avait été cambriolée. La porte en était restée ouverte.*

(les étoiles indiquent un registre de langue : \* = langue courante ; \*\*\*\* = langue soutenue)


■ *On a sonné à la porte !* = Quelqu'un a sonné...
*On parle anglais à la table d'à côté !* = Ils parlent...
*On a pris son cachet ?* = Vous avez pris...
*On n'a pas eu le temps !* = Nous n'avons pas eu...

Donc, le pronom *on* peut vouloir dire *quelqu'un, ils, vous, nous*, et même *je/tu* : c'est la situation entre les interlocuteurs qui permet de savoir de qui il s'agit.

| Soyons clairs! | clair | ambigu |
|---|---|---|
| 1. « Un agent de ville a reconnu le dangereux criminel alors qu'il pénétrait dans une cabine téléphonique. » | ☐ | ☒ |
| 2. « Un agent de ville a reconnu le dangereux criminel alors que celui-ci pénétrait dans une cabine téléphonique. » | ☒ | ☐ |
| 3. « Un agent de ville a reconnu le dangereux criminel qui pénétrait dans une cabine téléphonique. » | ☒ | ☐ |
| 4. « Alors que celui-ci pénétrait dans une cabine téléphonique, le dangeureux criminel a été reconnu par un agent de ville. | ☐ | ☒ |
| 5. « Alors qu'il pénétrait dans une cabine téléphonique, le dangereux criminel a été reconnu par un agent de ville. » | ☒ | ☐ |

**1** **Expliquez** pourquoi ces cinq énoncés sont « clairs » ou « ambigus » :

Énoncé 1 : ............................................................................................
............................................................................................
............................................................................................

Énoncé 2 : ............................................................................................
............................................................................................
............................................................................................

Énoncé 3 : ............................................................................................
............................................................................................
............................................................................................

Énoncé 4 : ............................................................................................
............................................................................................
............................................................................................

Énoncé 5 : ............................................................................................
............................................................................................
............................................................................................

**2** 1. **Observez :** *Un agent a reconnu le dangereux criminel alors que* <u>*celui-ci*</u> *(ce dernier) était paisiblement installé à la terrasse d'un café. »*
Le pronom de rappel *celui-ci (ce dernier)* remplace quel nom ? un agent ? le dangereux criminel ?

..................................................................................................................

2. **Observez :** *« Alors qu'il faisait sa ronde quotidienne, l'agent de ville a reconnu le dangereux criminel.* <u>*Il*</u> *était depuis plus de 10 ans à sa recherche. »*

• Pourquoi *il* ne peut-il être remplacé ni par <u>*qui*</u>, ni par *celui-ci (ce dernier)* ?

..................................................................................................................

• Cependant le *il* pourrait encore être interprété de 2 façons ! Que proposez-vous pour qu'il n'y ait plus aucune ambiguïté ?

..................................................................................................................

..................................................................................................................

**3** **Soyez clairs ! Choisissez un pronom de rappel** qui évite toute ambiguïté (la conjonction *que* a été effacée aux numéros 2. 3. 4.).

1. « L'individu avait été identifié par un témoin : .................. l'avait vu déposer un bidon d'essence dans la cage d'escalier. »

2. « Une jeune fille de 22 ans dénoncée par son amie : .................. avait découvert .................. se livrait au trafic d'armes. »

3. « Depuis un certain temps, les parents se plaignent des sorties trop fréquentes de leurs enfants : .................. se couchent si tard .................. ne peuvent pas travailler convenablement le lendemain matin. »

4. « Selon un sondage SOFRA, les actrices françaises seraient moins sexy que les actrices américaines. Il est vrai ........................., selon le même sondage, seraient moins sympathiques que les françaises. »

5. « En pleine séance de cinéma, un déséquilibré mental a provoqué la panique en brandissant un fusil de chasse. Heureusement, .................. n'était pas chargé ! »

6. « Après l'incendie survenu dans son appartement, le propriétaire a accusé son voisin d'imprudence criminelle. Naturellement, .................. nie toute responsabilité et porte plainte pour diffamation.

31

## Langage sibyllin !

• Les philosophes et les poètes ont des fonctions sociales complémentaires : ceux-ci nous montrent la vie comme elle devrait être et c'est à voir la réalité ou à apprendre à mourir que nous invitent ceux-là !

• L'instinct ? Le comportement social ? Quelle est la différence ? Celui-ci nous vient de notre socialisation précoce, celui-là est un héritage génétique qui s'effacerait progressivement.

• L'amour ? Le devoir ? Où commence le second finit le premier ! Bien souvent, les exigences de celui-ci s'opposent aux pulsions de celui-là ! Certains pensent que l'amour est l'expression de pulsions très naturelles mais avouons que ces dernières sont le plus souvent tempérées par le devoir !

• La nature ? La culture ? Voilà deux thèmes difficiles à distinguer ! Celle-ci n'est-elle pas une seconde nature ? Pouvons-nous encore faire la différence entre l'une et l'autre ?

**4** 1. L'inné ou l'acquis ? De nos jours, les scientifiques se méfient fort de .............. pour se consacrer exclusivement à .............. .

2. L'inné ou l'acquis ? .............. n'est-il pas en train d'effacer .............. ?

3. Le bien ? Le mal ? Voilà deux notions qui ont fait couler beaucoup d'encre ! ....... ........ peut-il un jour disparaître ? .............. a-t-il jamais existé ?

4. La jeunesse et la vieillesse s'opposent diamétralement ! .............. se plaint de ne pas savoir, .............. se lamente de ne plus pouvoir !

■ *Celui-ci / celle-ci, ce dernier / cette dernière* permettent de rappeler le dernier nom dont on vient de parler, lorsque le pronom personnel *il / elle* risquerait d'être ambigu : pour être sûr qu'on est bien compris, on utilise donc un pronom démonstratif :
*Pierre a téléphoné à Jacques. Il a refusé son invitation.*
Cette phrase est ambiguë : on ne sait pas qui a refusé !
*Pierre a téléphoné à Jacques. Celui-ci (ce dernier) a refusé son invitation.*

Le pronom relatif peut, ici, être tout aussi clair !
*Pierre a téléphoné à Jacques qui a refusé son invitation.*

Mais dans une phrase comme :
*La fille de mon propriétaire qui vient tous les mois ne viendra pas aujourd'hui.*
ce pronom relatif est ambigu ! Le pronom démonstratif évite cette ambiguïté :
*La fille de mon propriétaire, celle qui vient tous les mois, ne viendra pas aujourd'hui.*

■ *L'un / l'autre, le premier / le second* rappellent dans l'ordre deux noms. En revanche, *celui-ci* rappelle le dernier nom cité, et *celui-là* rappelle le premier.
*Tous se plaignent, les riches comme les pauvres ! Ceux-ci parce qu'ils manquent d'argent, ceux-là parce qu'ils manquent de temps !*

 **Balançoires**

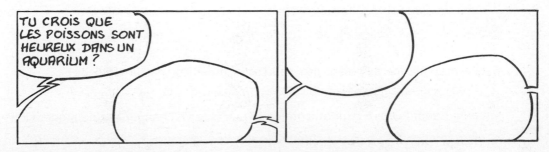

## L'effet pub

À la télévision, il n'y a plus de publicité ni sur les alcools, ni sur le tabac, ce qui est une bonne chose ! Est-ce pour cela que les Français boivent moins et fument moins ? On le dit mais les Américains du Nord, eux, ne le constatent pas quand ils sont de passage dans notre pays ! Ils trouvent notamment que les Européens sont toujours de gros fumeurs !

En revanche, il y a de très nombreuses publicités sur les savons, shampooings, parfums, dentifrices, déodorants, etc., ce qui normalement devrait inciter la population à la propreté mais, selon un sondage SOFRA, il n'en est rien : le Français moyen se lave, certes, il se brosse les dents, il se rase et se coiffe tous les matins mais il le fait en consommant très peu de savon, très peu de dentifrice et en changeant très rarement de brosse à dent, ce que tout le monde peut constater et ce dont se plaignent les industriels de produits de toilettes ! Cela dit, il est certain que le Français moyen se trouve très propre mais il est probablement le seul à le penser !

1. Les Latino-Américains se plaignent du manque d'hygiène des Français et ils ............. manifestent notamment quand ils prennent le métro ou qu'ils visitent des appartements parisiens, ............. ne fait pas toujours plaisir aux Français !

2. Il est vrai que les Latino-Américains prennent parfois trois douches par jour ; ............. est rare en France où la population prendrait plutôt trois douches par semaine !

3. Le Français moyen n'est donc pas très propre, ............. semble difficile à croire. Mais ............. dit, le Français moyen se parfume beaucoup, ............. se plaignent certains étrangers qui supportent difficilement les odeurs fortes, ............. tout le monde pourrait comprendre !

4. Comme tout le monde peut ............. constater, la télévision donne plusieurs fois par jour toute une série de publicités sur les produits alimentaires en conserve. Pourtant, les Français préfèrent les produits frais aux produits industrialisés et ............. est une bonne chose !

5. Donner des conserves à midi ou le soir, la cuisinière française ............. aurait honte. Faire la cuisine avec des produits frais, elle ............. est fière ! Il lui arrive bien de servir quelques produits achetés au supermarché mais alors elle s'............. excuse auprès de ses invités et, de toute façon, ............. est rare !

6. Les Français ne semblent pas se laisser influencer par la publicité ! ............. dit, il n'est pas rare d'entendre le Français moyen discuter de pub et il ............. fait en connaisseur ! Croire pour autant que la publicité va changer ses habitudes, il n'...... est rien comme ............. prouve le dernier sondage SOFRA. ..........

# Le point de vue du commentateur

- Faut-il oui ou non se marier ?
  — Cette question n'est pas simple !

- — Je lui ai répondu qu'il était ridicule d'être aussi naïf !
  — Cette réponse n'a pas dû lui plaire !

**3** 1. — ............................................................................................................
   — Cette demande est irréaliste !

2. — ............................................................................................................
   — Cette nouvelle est inquiétante !

3. — ............................................................................................................
   — À mon avis, cette information est totalement fausse !

4. — ............................................................................................................
   — Ce n'est pas mon opinion !

5. — ............................................................................................................
   — C'est le problème de tout le monde !

6. — ............................................................................................................
   — Ne vous inquiétez pas ! cette situation changera !

7. — ............................................................................................................
   — C'est la meilleure solution !

**4** **Votre commentaire ?**

1. — Ils demandent la gratuité totale des transports en commun.
   — ............................................................................................................

2. — À mon avis, tous les prisonniers de droit commun devraient être remis en liberté !
   — ............................................................................................................

35

3. — J'ai beaucoup de difficultés à payer mes dettes.

— ...........................................................................................................

4. — Les enfants ne veulent plus passer les vacances avec nous : ils s'ennuient avec leurs parents !

— ...........................................................................................................

5. — On va, paraît-il, libérer tous les prisonniers !

— ...........................................................................................................

6. — Je lui ai répondu que j'étais contre cette grève !

— ...........................................................................................................

---

■ *Cela/ça/ce, le/en/y, ce qui/ce que/ce dont/ce à quoi, le faire/l'a fait/le fera* etc., permettent de rappeler toute une idée dont on vient de parler : **fonction de rappel**.

*Je n'aime pas les parfums mais <u>cela</u> n'est pas important !*
*Je n'aime pas les parfums, <u>ce qui</u> n'est pas important !*
*Je n'aime pas les parfums, <u>ce dont</u> mes amis se plaignent !*
*Je n'aime pas les parfums, je <u>le</u> reconnais. Vous trouvez <u>ça</u> bizarre ?*
*Je n'aime pas les parfums et j'<u>en</u> suis désolé !*
*Si je n'achète pas de parfums, est-ce que tu <u>le feras</u> ?*

■ On peut rappeler toute une phrase en employant le terme qui fait référence à :
• la modalité : question/affirmation, etc.
• l'acte de parole dont il s'agit : opinion/refus/demande, etc.

— *Vous aimez les parfums ?*
— *C'est <u>une question</u> que je ne me suis jamais posée !*

— *Moi, j'ai décidé de ne plus utiliser de parfums !*
— *C'est <u>une décision</u> qui me semble exagérée !*

# DOSSIER 3

## Le pendu de la cabane en bois

Valeurs des temps et concordance

# ROMAN POLICIER :
# LE PENDU DE LA CABANE EN BOIS

## 1er épisode

« Monsieur Maussin, où étiez-vous ce matin ? Qu'avez-vous fait entre 7 heures et 10 heures ce matin ? »
L'interrogatoire du juge Marchand commençait. Confortablement assis dans un fauteuil en cuir, il fixait calmement son suspect n° 1.

## Le jeu du détective :

1. Quelle heure pouvait-il être au moment où l'interrogatoire commençait ?

.............................................................................................................................

2. À votre avis, quel événement s'est produit entre 7 heures et 10 heures du matin, le jour de l'interrogatoire ?

.............................................................................................................................

.............................................................................................................................

3. Imaginez la réponse de Maussin aux deux questions du juge :

« Ce matin, .......................................................................................................

.............................................................................................................................

................................................................................................................... »

## ① Observations et réflexions sur les temps des verbes :

1. a) Relevez les deux temps qui marquent le moment de l'événement par rapport au moment de l'interrogatoire :

.............................................................................................................................

.............................................................................................................................

b) De ces deux temps, quel est celui qui marque :
   • une action terminée et limitée dans le passé

.............................................................................................................................

   • la description d'un état dans le passé

.............................................................................................................................

2. Observez la phrase : *l'interrogatoire commençait*

a) Quel est le temps du verbe ?

.............................................................................................................................

b) Peut-on transformer cette phrase en utilisant ***être en train de + infinitif :***

.............................................................................................................................

.............................................................................................................................

c) *commençait*. Le temps du verbe indique ici :

- • une action terminée et limitée dans le passé : c'est-à-dire, vue dans son début et sa fin (accompli du passé) ☐
- • une action vue en train de se faire mais dont on ne voit pas la fin (accomplissement dans le passé) ☐
- • Une action habituelle et répétée dans le passé (itératif) ☐

---

## 2ᵉ épisode

Tout avait commencé le matin même par un mystérieux coup de téléphone. C'était une femme qui appelait au secours : elle venait de trouver un homme pendu dans une cabane en bois, derrière chez elle.

---

### Le jeu du détective :

1. À votre avis, qui a reçu le coup de téléphone ?

   ..............................................................................................................

2. Pourquoi la femme téléphonait-elle ?

   ..............................................................................................................

3. Imaginez la conversation téléphonique :

   — Allô, .....................................................................................................

   ..............................................................................................................

   — .............................................................................................................

   ..............................................................................................................

### Observations et réflexions sur les temps des verbes :

1. Comparez la fin du 1ᵉʳ épisode et le début du second :
   a) *l'interrogatoire commençait*
   b) *Tout avait commencé le matin même*
   Que marque b) par rapport à a) ?

   ..............................................................................................................

   ..............................................................................................................

2. Quelle différence temporelle voyez-vous entre :
   a) *elle venait de trouver un homme pendu*
   b) *elle avait trouvé un homme pendu*

   ..............................................................................................................

   ..............................................................................................................

## 3e épisode

« Mais qui êtes-vous, Madame, et où habitez-vous ? », lui avait demandé le juge Marchand.
Elle avait hésité un instant et puis s'était présentée d'une voix encore tremblante :
« Je m'appelle Madame Maussin avec deux ''s''. J'habite le Prieuré, c'est une propriété à la sortie de Richebourg. Ici, les gens disent ''le château''. S'il vous plaît, Monsieur, ne dites surtout pas à mon mari que je vous ai appelé... »
La communication avait été brusquement interrompue.

### Le jeu du détective :

1. Par qui et pourquoi, selon vous, la communication avait-elle été brusquement interrompue ?

   ........................................................................................

   ........................................................................................

2. Pourquoi Madame Maussin ne voulait-elle pas que son mari sache qu'elle avait téléphoné ?

   ........................................................................................

   ........................................................................................

### 3 Observations et réflexions sur les temps des verbes :

1. a) Relevez les plus-que-parfait de cet épisode.

   ........................................................................................

   ........................................................................................

   b) Quel est le rapport temporel entre ces plus-que-parfait et le moment de l'interrogatoire ? Ils marquent :
   - un « avant » le moment de l'interrogatoire   ☐
   - un « pendant » le moment de l'interrogatoire   ☐
   - un « après » le moment de l'interrogatoire   ☐

2. Dans ce troisième épisode, quels sont les temps et les modes employés pour le **discours direct** ........................................................................

   ........................................................................................

   ........................................................................................

3. Transformez au discours indirect les paroles du juge Marchand :

   Il lui avait demandé ........................................................................

   ........................................................................................

4. *Ne dites surtout pas à mon mari que je vous ai appelé !*
   Comment se transforme cet impératif au discours indirect ?

   a) ...........................................................................................................................
   ...........................................................................................................................

   b) ...........................................................................................................................
   ...........................................................................................................................

5. Transformez maintenant toutes les paroles de Madame Maussin au discours indirect :

   Elle lui .....................................................................................................................

   ...........................................................................................................................

   ...........................................................................................................................

   ...........................................................................................................................

6. Dans les transformations du discours direct au discours indirect, quels changements de temps et de mode observez-vous ?

   ...........................................................................................................................

   ...........................................................................................................................

   ...........................................................................................................................

---

## 4ᵉ épisode

Sur une chaise en paille fort peu confortable, le suspect n° 1, Pierre Maussin, réfléchissait. Il n'avait pas l'air disposé à répondre à la question que lui avait posée quelques instants auparavant le juge Marchand ; mais celui-ci était patient : il attendrait le temps qu'il faudrait !

---

**Le jeu du détective :**

1. Où se passe cette scène, à votre avis ?

   ...........................................................................................................................

2. Qu'est-ce que le juge avait demandé au suspect n° 1 ?

   ...........................................................................................................................

   ...........................................................................................................................

3. À votre avis, pourquoi Pierre Maussin tardait-il à répondre ?

   ...........................................................................................................................

   ...........................................................................................................................

   ...........................................................................................................................

## 4 Observations et réflexions sur l'emploi des temps :

1. Trouvez un imparfait qui peut se transformer par **être en train de** et qui indique donc que l'action est vue dans son accomplissement, non terminée dans le passé :

   ....................................................................................................

2. Trouvez deux imparfaits qui indiquent la description d'un état dans le passé :

   ....................................................................................................

3. *Il attendrait le temps qu'il faudrait.* Quelle est la forme verbale utilisée ?

   ....................................................................................................

4. *Il attendrait le temps qu'il faudrait* est une manière de rapporter indirectement les paroles du juge Marchand (discours indirect libre). Faites parler le juge en direct :

   « .......................................... le temps qu' ........................................ ! »

5. Quelles transformations observez-vous entre les paroles directes du juge Marchand et ses mêmes paroles mises au discours indirect libre ?

   ....................................................................................................

   ....................................................................................................

   ....................................................................................................

---

### 5ᵉ épisode

Philippe Marchand regarda sa montre : il était 10 heures exactement. Encore sous l'effet de l'étrange coup de téléphone qu'il venait de recevoir, il fit appeler son assistant Brisedoux : « Bonjour Brisedoux, nous allons faire un petit tour du côté de Richebourg, ce matin ! Nous partirons dès que le chauffeur aura préparé la voiture. Ah oui ! surtout prévenez Madame Brisedoux que nous ne rentrerons certainement pas tôt ce soir ! »

---

 **Le jeu du détective :**

1. Où se passe cette nouvelle scène ?

   ....................................................................................................

2. De quel étrange coup de téléphone est-il question ?

   ....................................................................................................

3. Pourquoi le juge et Brisedoux rentreront-ils si tard ?

   ....................................................................................................

   ....................................................................................................

**Observations et réflexions sur l'emploi des temps :**

1. *il était 10 heures exactement* indique la description d'un état dans le passé, n'est-ce pas ? et *regarda, fit* ?

   a) Quel est ce temps ? ..............................................................

   b) Qu'est-ce qu'il indique ? ......................................................

   c) Peut-il être utilisé dans la conversation ? ..................................

2. Racontez à un ami le début du 5e épisode :

   « Alors, tu vois, Philippe Marchand ...........................................

   ..................................................................................

   ........................................................... son assistant Brisedoux. »

3. Observez les deux temps du futur : *dès que le chauffeur aura préparé la voiture, nous partirons.* Quel rapport temporel voyez-vous entre les deux ?

   ..................................................................................

   ..................................................................................

4. Transformez au discours indirect les paroles du juge à Brisedoux :

   Il fit appeler son assistant et lui dit qu' ......................................

   ..................................................................................

   ..................................................................................

   ..................................................................................

   ..................................................................................

---

## 6e épisode

Ils prirent la route nationale n° 7, traversèrent de charmants petits villages où il faisait bon vivre. À 11 heures 30, ils arrivèrent à Richebourg. Un garagiste leur indiqua le « château ». Ils tournèrent à droite de l'église, sur la route de Mantes. Le Prieuré avait bien l'air d'un château. Un magnifique parc boisé l'entourait. La grille du parc était ouverte. Sur le perron du château, ils aperçurent une jeune femme qui vraisemblablement les attendait. Elle les accueillit en murmurant :
« Enfin, vous voilà ! Vous avez fait bon voyage ? Venez vite à la maison ! J'ai peur ! »

---

**Le jeu du détective :**

1. Pourquoi Madame Maussin était-elle seule à attendre le juge et Brisedoux ? Où était donc son mari ?

   ..................................................................................

   ..................................................................................

   ..................................................................................

2. Pourquoi leur a-t-elle dit qu'elle avait peur ?

.................................................................................................................

.................................................................................................................

.................................................................................................................

.................................................................................................................

## 6 ⬦ Observations et réflexions sur l'emploi des temps :

1. Relevez les passés simples. Rappelez-vous *il regarda sa montre* et *il fit appeler son assistant* du 5ᵉ épisode :

.................................................................................................................

.................................................................................................................

.................................................................................................................

2. Établissez une première règle de conjugaison des passés simples :
Pour les verbes en **er** à l'infinitif

il .................... / ils ....................

Pour les verbes qui ne font pas **er** à l'infinitif, deux formes peuvent s'observer :

il .................... / ils ....................

il .................... / ils ....................

3. Mettez à la troisième personne du singulier :

*ils prirent la nationale N° 7 :* .............................................................

*ils traversèrent des villages :* .............................................................

*ils arrivèrent à Richebourg :* .............................................................

*ils aperçurent une jeune femme :* .............................................................

4. Observez ce que Madame Maussin dit au juge : *vous avez fait bon voyage ?*
De quel temps s'agit-il ? Pourquoi n'utilise-t-elle pas le passé simple ?

.................................................................................................................

.................................................................................................................

5. Racontez à un ami ce 6ᵉ épisode du roman policier :

« Alors, écoute bien, ils ................................ la route nationale N° 7,

.................................................................................................................

.................................................................................................................

.............................................................................................................. »

## 7ᵉ épisode

— Allons, calmez-vous, petite madame ! Que vous est-il encore arrivé ?

— C'est incroyable ! le pendu a disparu ! Oui, je suis retournée à la cabane en bois, il y a quelques minutes et il n'était plus là ! Pourtant, je l'ai bien vu ce matin, je le jure ! Je suis allée me promener dans le parc vers 9 heures 30 ce matin et, par hasard, je suis entrée dans la cabane parce que j'avais remarqué que la porte était grand ouverte. Quand j'ai aperçu le pendu, j'ai eu très peur et j'ai couru à la maison pour vous prévenir. Mais depuis, le cadavre a disparu !

Toute tremblante, Madame Maussin les fit entrer dans le salon : un grand feu brûlait dans la cheminée. Il faisait bon et les fleurs répandaient un doux parfum d'automne.

## Le jeu du détective :

1. Combien de fois et quand Madame Maussin est-elle allée dans la cabane en bois ce jour-là ?

.............................................................................

.............................................................................

.............................................................................

2. Croyez-vous à ce que raconte Madame Maussin ? Comment expliquez-vous la disparition du pendu ?

.............................................................................

.............................................................................

.............................................................................

## 7 Observations et réflexions sur l'emploi des temps :

1. Le 7ᵉ épisode est une conversation entre le juge et Madame Maussin, n'est-ce pas ? Le narrateur aurait pu tout aussi bien employer le discours indirect ! Faites cette transformation :

Le juge Marchand lui .......................................................... et il lui

.............................................................................

Madame Maussin lui ..........................................................

.............................................................................

.............................................................................

.............................................................................

.............................................................................

.............................................................................

.............................................................................

.............................................................................

45

2. *Je suis entrée dans la cabane parce que j'avais remarqué que la porte...* Quel est le rapport temporel entre ces deux temps du passé ?

..........................................................................................................

..........................................................................................................

..........................................................................................................

---

## 8ᵉ épisode

Pendant que les deux hommes s'installaient dans le salon, Madame Maussin leur offrit une boisson chaude. Brisedoux refusa : il ne buvait plus de café et n'avait jamais goûté au thé de sa vie !
— Enfin, Madame, pouvez-vous me dire qui est ce pendu que vous avez découvert dans la cabane en bois ? demanda le juge.
— C'est Richard Pativault, le meilleur ami de mon mari, répondit la jeune femme en pleurant.
— Et où est votre mari en ce moment ?
— Je crois qu'il travaille dans son bureau. Quand il m'a surprise au téléphone ce matin, il s'est fâché. Il est très jaloux. Il voulait absolument savoir à qui je parlais. Je lui ai menti. Je lui ai dit que j'avais pris rendez-vous chez le médecin. J'ai peur : Pierre, mon mari, est devenu très violent...

---

### Le jeu du détective :

1. Pourquoi Madame Maussin pleurait-elle en parlant du meilleur ami de son mari ?

..........................................................................................................

..........................................................................................................

..........................................................................................................

2. À qui Madame Maussin téléphonait-elle ce matin-là ? Pourquoi téléphonait-elle ?

..........................................................................................................

..........................................................................................................

..........................................................................................................

3. À votre avis, depuis quand et pourquoi Pierre Maussin est-il devenu très violent ?

..........................................................................................................

..........................................................................................................

..........................................................................................................

..........................................................................................................

# 8 Observations et réflexions sur l'emploi des temps :

1. Madame Maussin a offert une boisson chaude à Brisedoux, mais celui-ci a refusé. Faites parler directement Brisedoux :

— Vous prenez du café ou du thé ? ...................................................

— ...................................................................................................

.............................................................................................................

2. Transformez au discours indirect la première question du juge Marchand à Madame Maussin :

.............................................................................................................

.............................................................................................................

.............................................................................................................

.............................................................................................................

3. Observez le rapport entre l'imparfait : *s'installaient* **et le passé simple :** *offrit*.

    a) Vous êtes caméraman, sur laquelle de ces deux actions faites-vous un gros plan (une focalisation) ?

    .........................................................................................................

    b) Quelle est l'action que vous filmez en arrière-plan, en fond de toile (panorama) ?

    .........................................................................................................

4. Le rapport des temps *s'installaient*/*offrit* est une vision de caméraman, un point de vue sur deux actions dont l'une sert de cadre à l'autre. Ce point de vue peut changer : la mise en scène est alors différente. Faites un gros plan (focalisation) sur *s'installer* et mettez *offrir* en arrière-plan (panorama)

    Pendant que ...................................................................................

    .........................................................................................................

    .........................................................................................................

    .........................................................................................................

    .........................................................................................................

5. Trouvez dans les paroles de Madame Maussin deux actions qui sont présentées comme simultanées dans le passé et qui sont vues en gros plan (focalisation).

    .........................................................................................................

    .........................................................................................................

6. Imaginez, à partir des paroles de Madame Maussin, un dialogue entre son mari et elle :

    *M. Maussin*     : « ...................................................................................

    ........................................................................................................... »

    *Mme Maussin :* « ...................................................................................

    ........................................................................................................... »

## 9e épisode

« Votre mari était-il jaloux de son meilleur ami ? », demanda le juge qui terminait son café. Madame Maussin, qui remettait des bûches dans la cheminée, ne lui répondit pas. Alors, Philippe Marchand voulut visiter la cabane. En sortant, il remarqua que Madame Maussin pleurait.

Dans le parc, l'herbe était mouillée : il avait plu toute la nuit. Les sous-bois étaient sombres. Bientôt, ils virent la cabane. L'inspection des lieux fut minutieuse : Brisedoux, qui fouillait partout, trouva une corde cachée sous une grosse pierre.

### Le jeu du détective :

1. Pourquoi Madame Maussin n'a-t-elle pas répondu à la question du juge ?

................................................................................................

................................................................................................

................................................................................................

2. Que pensez-vous de cette corde cachée sous une grosse pierre ?

................................................................................................

................................................................................................

................................................................................................

................................................................................................

### ⑨ Observations et réflexions sur l'emploi des temps :

1. Observez les imparfaits : certains d'entre eux peuvent se transformer par **être en train de + infinitif,** ce qui indique que l'action est vue en arrière-plan (panorama) :

................................................................................................

................................................................................................

2. Pour chacune de ces actions vue en arrière-plan, fond de toile (panorama), retrouvez les actions vues en gros plan (focalisation) :

| Arrière-plan (fond de toile) | Gros plan (focalisation) |
| --- | --- |
| ........................................ | ........................................ |
| ........................................ | ........................................ |
| ........................................ | ........................................ |

3. Trouvez les formes du pluriel pour :

| | |
| --- | --- |
| *il demanda* ............................ | *il voulut* ............................ |
| *elle répondit* ............................ | *elle fut minutieuse* ............................ |

## 10e épisode

— Venez voir, monsieur le juge, j'ai trouvé cette corde et regardez là, dehors, il y a des tra-ces ! On a traîné un corps dans ces feuilles mortes !
— Dans quelle direction vont ces traces ?
Madame Maussin expliqua qu'il y avait là-bas un petit lac.
— On aura traîné le corps et on l'aura jeté dans le lac ! supposa le brave Brisedoux.
— Madame Maussin, gronda le juge, dites-moi où et quand vous avez vu Richard Pativault pour la dernière fois !
— Je l'ai vu hier soir. Il a dîné chez nous. Mais ce matin, il était encore vivant, je le sais. J'ai entendu mon mari qui lui téléphonait. Oui, ils avaient pris rendez-vous pour aller à la chasse de bonne heure, ce matin, et mon mari avait promis de le réveiller.
— Donc votre mari aurait été le dernier à voir Richard Pativault vivant ? Ils seraient tous deux allés à la chasse ce matin ?
Madame Maussin se mit à pleurer.

## Le jeu du détective :

1. Si effectivement Maussin et Richard Pativault sont allés à la chasse ce matin-là, que pouvez-vous supposer ?

..................................................................................................
..................................................................................................
..................................................................................................
..................................................................................................

## (10) Observations et réflexions sur l'emploi des temps :

1. a) Brisedoux fait des suppositions en regardant les traces. Il suppose que quelqu'un a traîné le corps du pendu et l'a jeté dans le lac. Quelle est la forme verbale qui permet de faire des suppositions ou de proposer des hypothèses sur ces actions passées ?

..................................................................................................
..................................................................................................

b) Brisedoux a trouvé une corde dans la cabane : qu'est-ce qu'il peut supposer, à pro-pos de cette corde ? Faites-le parler directement :

« ................................................................................................
..................................................................................................
..................................................................................................
.............................................................................................. »

2. Observez les paroles du juge : *votre mari aurait été le dernier à voir Richard vivant, ils seraient allés à la chasse ce matin ?*

a) Quelle est la forme verbale ?

........................................................................................................................

b) Qu'est-ce que cette forme verbale indique :

- une supposition ou une hypothèse ☐

- une certitude sur ce qui est arrivé ☐

- une précaution par rapport à ce qui a été entendu mais non vérifié ☐

c) Comparez les trois phrases suivantes :

*votre mari a été le dernier à voir Richard*
*votre mari aura été le dernier à voir Richard*
*votre mari aurait été le dernier à voir Richard*

- l'une de ces phrases signifie que le juge n'a pas vérifié la vérité de ce qu'on lui a dit : quelle est-elle ?

........................................................................................................................

- l'une de ces phrases signifie que le juge sait exactement ce qui s'est passé : quelle est-elle ?

........................................................................................................................

- l'une de ces phrases signifie que le juge fait des suppositions à partir de faits qu'il a observés : quelle est-elle ?

........................................................................................................................

d) Madame Maussin dit au juge : *j'ai vu Richard Pativault hier soir. Nous avons dîné ensemble. Ce matin mon mari lui a téléphoné pour aller à la chasse.*
Imaginez que le juge ne soit pas sûr que Madame Maussin dise la vérité : comment peut-il exprimer ses doutes ?

« La veille au soir, Madame Maussin .......................................................... .

Les Maussin et Richard .......................................................................... .

Le lendemain matin, Monsieur Maussin ............................................... »

3. Transformez les paroles de Madame Maussin (10e épisode) au discours indirect :

Madame Maussin ............................................................................................

........................................................................................................................

........................................................................................................................

........................................................................................................................

........................................................................................................................

........................................................................................................................

........................................................................................................................

## 11e épisode

« Brisedoux, dit le juge, faites fouiller le lac ! Dès que vous aurez retrouvé le corps, vous me préviendrez ! Et vous, petite madame, vous allez me conduire auprès de votre mari : je vais l'interroger ! Ah ! Brisedoux, vous me retrouverez dans le salon. Ne vous inquiétez pas, je vous dirai exactement ce que Maussin m'aura raconté ! »

Dès que le juge eut échangé quelques mots avec Pierre Maussin, il sut que celui-ci ne serait pas très bavard ! Bien sûr, Maussin eut l'air très surpris d'apprendre la mort de son ami. Il avoua sans peine lui avoir téléphoné le matin même mais il précisa que Richard Pativault avait refusé de l'accompagner à la chasse : il avait mal dormi et désirait faire la grasse matinée.

### Le jeu du détective :

1. Pourquoi le juge était-il si sûr que Brisedoux trouverait le cadavre dans le lac ?

..................................................................................................
..................................................................................................
..................................................................................................
..................................................................................................
..................................................................................................

2. Pourquoi, tout à coup, le juge a-t-il décidé d'interroger Pierre Maussin ?

..................................................................................................
..................................................................................................
..................................................................................................
..................................................................................................
..................................................................................................

3. Imaginez la conversation téléphonique entre Pierre Maussin et Richard Pativault le matin du crime :

*Maussin* — Allô ...........................................................................

.........................................................................................

*Richard* — ...............................................................................

.........................................................................................

Maussin — ................................................................................

.........................................................................................

*Richard* — ...............................................................................

.........................................................................................

**Observations et réflexions sur l'emploi des temps :**

1. Comparez le rapport temporel entre :

   a) *Dès que vous <u>aurez retrouvé</u> le corps, vous me <u>préviendrez</u>*

   .................................................................................

   b) Il faut d'abord ***interroger*** Maussin avant de ***savoir*** qui a tué Richard, n'est-ce pas ? En quittant Brisedoux, le juge peut donc lui dire :

   « Dès que .................................................................

   .................................................................................»

   c) Madame Maussin va d'abord ***conduire*** le juge auprès de son mari et ensuite, l'interrogatoire ***va commencer,*** n'est-ce pas ? Faites parler le juge :

   « Dès que .................................................................

   .................................................................................»

2. Observez : *Dès que le juge <u>eut échangé</u> quelques mots avec Pierre Maussin, il <u>sut</u> que celui-ci...*

   a) Quel rapport temporel voyez-vous entre les deux formes verbales ?

   .................................................................................

   b) Comment s'appelle la forme verbale *eut échangé* :

   .................................................................................

   c) Imaginez : D'abord, Pierre Maussin ***apprend*** par le juge que Richard est mort ; il ***avoue*** ensuite lui avoir téléphoné. Vous êtes le narrateur, racontez :

   « Dès que Pierre Maussin .................................................

   .................................................................................

   .................................................................................»

**12 L'alibi**

Pierre Maussin parle enfin ! Il raconte au juge tout ce qu'il a fait ce matin-là à partir de 7 heures du matin :

« .................................................................................

.................................................................................

.................................................................................

.................................................................................

.................................................................................

.................................................................................

.................................................................................

.................................................................................»

**13** En fin de compte, qui est coupable à votre avis ?

................................................................................................

................................................................................................

................................................................................................

................................................................................................

................................................................................................

................................................................................................

................................................................................................

................................................................................................

**14** Fait divers

Richebourg le 29 octobre. Le millionnaire Richard Pativault retrouvé au fond d'un petit lac. De notre envoyé spécial à Richebourg :

« Ce matin, .................................................................................

................................................................................................

................................................................................................

................................................................................................

................................................................................................

................................................................................................

## « De l'autre côté de la médaille »

— Tiens ! écoute un peu ce que je viens de lire dans le journal : « Le célèbre célibataire, Richard Pativault, nouvellement installé à Richebourg, a été retrouvé noyé dans un petit lac. La police enquête. » Tu le connaissais, ce Richard Pativault ?

— Non, mais apparemment il était très connu.

— Mais qui est-ce ?

— Je ne sais pas mais ce que je sais c'est qu'il n'était pas marié puisqu'il était célibataire !

— Ah, bravo ! et moi, ce que je sais aussi c'est qu'il n'habitait pas depuis longtemps à Richebourg !

— Mais dis donc, je ne savais pas que tu savais si bien lire ! mais trêve de plaisanteries, s'il a été retrouvé noyé, c'est que quelqu'un le cherchait, non ?

— Oui, et si la police enquête, c'est que cette mort est suspecte : ou bien Richard Pativault a été assassiné ou bien il s'est suicidé, à moins que ce ne soit un accident.

---

**15** **Dites tout ce que vous pouvez présupposer lorsque vous entendez :**

1. « Pour la première fois, un criminel enfermé à la prison de la Santé s'échappe en hélicoptère. »

   ....................................................................................................

   ....................................................................................................

2. « On vient de nous annoncer le divorce de Monsieur Maussin, suspect n° 1 dans le meurtre de Richebourg. »

   ....................................................................................................

   ....................................................................................................

   ....................................................................................................

   ....................................................................................................

3. « L'accusée, dans l'affaire de Richebourg, aurait trouvé un nouvel alibi. »

   ....................................................................................................

   ....................................................................................................

   ....................................................................................................

   ....................................................................................................

4. « Le juge Marchand a cessé de travailler avec son associé Brisedoux à la suite de l'erreur judiciaire de Richebourg. »

   ....................................................................................................

   ....................................................................................................

   ....................................................................................................

   ....................................................................................................

   ....................................................................................................

■ L'emploi des temps du passé dépend du point de vue ou de la vision que veut en donner le locuteur :
Quels sont ces différents points de vue ?

a) Je veux montrer que l'action est bien **terminée**, bien **limitée** dans le passé : j'emploie le **passé composé** (accompli du passé).

> Ce jour-là, entre 7 heures et 10 heures, j'*ai travaillé* dans mon bureau, j'*ai* aussi *passé* quelques coups de téléphone.
> Ce jour-là, entre 7 heures et 10 heures, il *a plu*.

b) Je veux montrer que l'action est passée, mais je ne m'intéresse qu'à son **accomplissement** : je la montre **en train de se dérouler** :

> Ce jour-là, je *travaillais* dans mon bureau.
> Ce jour-là, il *pleuvait*.

j'utilise l'**imparfait** : c'est un fond de toile, une action en arrière-plan, une sorte de panorama.

c) Je veux décrire un **état passé**, physique ou mental : j'utilise l'**imparfait**-fond de toile ;

> Il *était* 8 heures du matin, j'*étais* triste parce qu'il *pleuvait* et que je ne *pouvais* pas sortir

d) Je veux montrer plusieurs actions **simultanées** au passé :
- je peux en donner une vision **en gros plan**, **en focalisation** :
  > Quand ils *sont arrivés*, elle les *a salués*.
- je peux en donner une vision **en arrière-plan**, **en fond de toile** :
  > Au moment où ils *arrivaient*, elle *sortait*.
- je peux choisir de mettre **une action en gros plan** et l'**autre en fond de toile** :
  > Au moment où ils *arrivaient*, elle *est sortie*.
- je peux inverser la mise en scène et changer les plans :
  > Au moment où ils *sont arrivés*, elle *sortait*.

■ Le **plus-que-parfait** marque une action accomplie, terminée par rapport au passé composé (accompli du passé) ; et à l'imparfait (accomplissement dans le passé). Il existe donc une relation d'antériorité entre ces temps.

> Ce matin-là, il pleuvait, il *avait plu* aussi la veille.
> Ce matin-là, j'ai lu le journal que le facteur m'*avait apporté* à 8 heures.

■ Au discours indirect, si le verbe introducteur est au passé (passé-composé ou imparfait ou plus-que-parfait) on procède à la **concordance des temps** du discours :

> « Vous avez travaillé ce matin ? »
> Le juge lui a demandé s'il *avait travaillé ce matin-là*.
> « Je prends mon petit déjeuner vers 7 heures et puis je travaille. »
> Il a expliqué qu'il *prenait* son petit déjeuner à 7 heures et qu'il *travaillait*.
>
> « Demain, je partirai très tôt et je passerai au commissariat. »
> Il a dit que *le lendemain*, il *partirait* très tôt et qu'il *passerait* au commissariat.

Donc, au discours indirect au passé, le **présent** devient **imparfait**, le **passé-composé** devient **plus-que-parfait** et le **futur** devient **conditionnel présent**.

■ **Le passé simple** est un temps passé propre à l'écrit : c'est le temps du **récit**. À l'oral, on ne l'emploie pas : c'est le passé-composé qui permet de raconter des actions passées.

Le passé simple, temps du récit, se rencontre surtout à la troisième personne du singulier ou du pluriel. Trois terminaisons sont à retenir :

- **a/èrent** pour les verbes en **er** :

> Il _travailla_ jusqu'au soir.
> Ils _travaillèrent_ jusqu'au soir.

- **it/irent** ou **ut/urent** pour les autres verbes :

> Il _vit_ le juge s'approcher du prieuré.
> Ils _virent_ le juge s'approcher du prieuré.
> Il _reçut_ un étrange coup de téléphone vers 9 heures.
> Ce soir-là, ils _reçurent_ la visite de Richard Pativault.

Le passé-simple, comme le passé-composé, se combine avec l'imparfait : le choix de ces temps dépend du point de vue du locuteur qui focalise sa mise en scène sur une action et laisse l'autre en fond de toile :

> Ce soir-là, ils _attendaient_ la visite de Richard qui _arriva_ à 8 heures.
> Ce soir-là, ils _attendirent_ Richard qui _venait_ dîner.

> Pendant qu'ils _visitaient_ la cabane, elle leur _parla_ de Richard.
> Pendant qu'elle leur _parlait_, ils _visitèrent_ la cabane.

■ **Le futur antérieur** marque une action **accomplie** par rapport au **futur simple**. En ce sens, le futur antérieur est un « avant » du futur simple :

> Dès que vous _aurez trouvé_ le coupable, je l'_arrêterai_.

**Le futur antérieur** permet aussi de faire des **suppositions** ou des **hypothèses** à partir d'un fait observé :

> Vous attendez des amis à la gare. Ils ne viennent pas. Vous imaginez une explication possible :
> « ils _auront manqué_ leur train ! »

■ Le **conditionnel présent et passé**, dans son emploi dit « conditionnel journalistique », permet de parler d'une information présente ou passée dont on n'a pas pu vérifier la véracité : on exprime grâce à ce conditionnel un certain doute quant à l'exactitude de cette information :

> Monsieur Maussin ne _serait_ pas _sorti_ de chez lui ce matin-là. Il _aurait passé_ la matinée à travailler.

> Le juge Marchand _saurait_ enfin qui est le coupable.

■ Le **passé antérieur** marque une action **accomplie** par rapport au **passé simple**. On ne le rencontre donc qu'à l'écrit, dans le **récit**. Ce temps est utilisé dans les propositions temporelles introduites par **dès que**, **lorsque**, **après que**, **quand**...

> Dès qu'ils _eurent trouvé_ la corde, ils _surent_ que Richard était mort.
> Lorsqu'il _eut visité_ la cabane, il _voulut_ voir Monsieur Maussin.

A l'oral, dans ces mêmes propositions temporelles, on utilise le **passé surcomposé**.

> Dès que j'_ai eu trouvé_ la corde, j'_ai su_ que Richard était mort.

# DOSSIER 4

## Histoire de B.D.

# Histoire de BD

En raccrochant le téléphone, Luc se demanda pourquoi sa femme n'avait pas répondu. Le matin même, en se quittant, ils s'étaient pourtant promis de s'appeler vers 18 heures. « Où était-elle ? Que faisait-elle ? » s'interrogea-t-il tout en retournant vers sa planche à dessin. Il en avait encore pour une petite heure de travail. En appuyant fortement sur son crayon, il traça le nez pointu d'un personnage grotesque et mesquin : c'était Malus, celui qui apparaissait toujours en grimaçant méchamment dans ses bandes dessinées.

Cette fois, Malus se précipitait en riant vers le petit Bonus qui avait trébuché en voulant s'échapper. Bonus s'était foulé la cheville. Tout en frottant sa jambe douloureuse, il regardait innocemment Malus bondir vers lui. Mais au moment où Malus allait l'atteindre, Bonus lui échappa en roulant sur l'herbe : il était sauvé ! Malus alla s'étaler en hurlant dans un étang. Bonus se releva et s'enfuit en boîtant vers l'autoroute : en faisant du stop, il échapperait définitivement à ce damné Malus ! Un gros camion l'éclaboussa en passant, puis s'arrêta en freinant bruyamment ! « Il était temps », murmura Bonus en souriant au chauffeur.

En arrivant à la maison, Luc ne trouva personne. Il se servit un verre en réfléchissant, ouvrit un journal en baillant. C'était déjà l'heure des informations. Il alluma la télé en appuyant sur sa télécommande et c'est alors qu'il remarqua un petit mot que sa femme avait dû lui laisser en sortant.

En le lisant, Luc fut frappé d'étonnement : « Puisque tu me rends fou de rage en sauvant toujours ce maudit Bonus, moi, je me venge en t'enlevant ta femme pour quelque temps .»
Le message était signé : Malus.

---

**1** **Observez les gérondifs, notez leur forme :** *en raccrochant*, *en réfléchissant*, *en lisant*, *en faisant du stop*, *en sortant*. **Proposez une règle** pour la formation du gérondif :

.....................................................................................

.....................................................................................

.....................................................................................

.....................................................................................

**2** *Pendant que ? Au moment où ?* Quelle est la meilleure façon de paraphraser les énoncés suivants ?

1. *En raccrochant le téléphone, Luc se demanda où était sa femme.*

.....................................................................................

.....................................................................................

2. *Le matin même, en se quittant, ils s'étaient promis de s'appeler.*

.....................................................................................

.....................................................................................

3. *Tout en frottant sa jambe douloureuse, il regardait Malus.*

.....................................................................................

.....................................................................................

58

4. *Sa femme avait dû lui laisser ce petit mot en sortant.*

.........................................................................

.........................................................................

5. *En lisant le message, Luc fut frappé d'étonnement.*

.........................................................................

.........................................................................

## ⬦3⬦ Une vie d'artiste! Comment a-t-il fait?

**Transformez les phrases suivantes** en employant le gérondif:

1. Luc s'est sali les mains ***avec ses crayons et ses peintures***
   Luc s'est sali les mains ***en dessinant et en peignant***

2. Il a taillé son meilleur crayon et s'est coupé

.........................................................................

3. Il a renversé de l'encre de chine sur sa feuille! Bravo! Il venait de créer un étang!

.........................................................................

4. Il a voulu gommer le nez pointu de Malus et il a déchiré sa feuille de papier!

.........................................................................

5. A un moment, il a préparé du café et il s'est brûlé!

.........................................................................

6. Il a peint le gros camion. Pour faire cela, il a mélangé du gris et du vert.

.........................................................................

7. Depuis 10 ans, Luc dessine tous les jours les histoires de Bonus et Malus : c'est comme cela qu'il gagne sa vie.

.........................................................................

## ⬦4⬦ 1. Comparez les deux énoncés:

a) *En raccrochant le téléphone, Luc se demanda où était sa femme.*

b) *C'était Malus, celui qui apparaissait en grimaçant méchamment.*

L'un de ces gérondifs répond à la question ***quand?*** .................................

L'autre gérondit répond à la question ***comment?*** .................................

2. **Relevez dans le texte 2 exemples de gérondifs qui répondent à la question:**

| ***Quand?*** | ***Comment?*** |
|---|---|
| 1. ..................... | 1. ..................... |
| 2. ..................... | 2. ..................... |

**Observez les phrases suivantes. Trouvez la condition nécessaire** à l'emploi du gérondif :

1. a) Quand *Luc* est rentré chez lui, *il* n'a trouvé personne.

   a') *Il* n'a trouvé personne *en rentrant* chez lui.

   b) Quand *Luc* est rentré chez lui, *sa femme* n'était pas là.

2. a) Quand *Bonus* a vu Malus tomber dans l'étang, *il* s'est mis à courir.

   a') *En voyant* Malus tomber dans l'étang, *Bonus* s'est mis à courir.

   b) Quand *Malus* est tombé dans l'étang, *Bonus* s'est mis à courir.

3. a) *Bonus* a fait du stop et *il* a été sauvé.

   a') *en faisant* du stop, *Bonus* a été sauvé.

   b) *Le chauffeur* de camion s'est arrêté et *Bonus* a été sauvé.

 **Pauvre Luc ! Il s'en fait du souci ! mais avec des « si »...**

**Transformez les phrases suivantes :**

1. Luc est désolé, sa femme a
   disparu à cause de lui.
   *En étant* plus prudent,
   il *aurait* sûrement évité
   cette catastrophe !

   ⟶

   1. Luc est désolé, sa femme a
   disparu à cause de lui.
   *S'il avait été* plus prudent,
   il *aurait* sûrement *évité*
   cette catastrophe !

2. « .................................
   .................................
   .................................
   ................................. »

   ⟵

   2. « *Si j'avais téléphoné* à ma femme,
   avant 18 heures, se disait-il,
   *je n'aurais pas* tous ces soucis »

3. « *En quittant* mon bureau à
   18 heures, comme prévu, *je
   n'aurais pas rendu* Malus
   fou de rage ! »

   ⟶

   3. « .................................
   .................................
   .................................
   ................................. »

4. « Mais surtout, *en laissant*
   gagner Malus, *j'aurais évité*
   sa vengeance ! »

   ⟶

   4. « .................................
   .................................
   ................................. »

5. « Maintenant, *en prévenant* la police, *ai-je* des chances de retrouver ma femme ? »

→

5. « ...............................................
...............................................
............................................... »

6. « ...............................................
...............................................
...............................................
...............................................
............................................... »

←

6. « Mais je suis ridicule ! *Si je racontais* à la police ce qui est arrivé, *je passerais* pour un fou ! »

7. « *En écoutant* mon histoire, le commissaire Magrue *croirait* que je me moque de lui ! »

→

7. « ...............................................
...............................................
............................................... ! »

8. « Comment faire pour trouver une solution ? Ah ! j'ai une idée ! *En retournant* dessiner au bureau, *je pourrai* sûrement recontacter Malus ! »

→

8. « ...............................................
...............................................
...............................................
...............................................
............................................... »

9. « ...............................................
...............................................
...............................................
............................................... »

←

9. « *Si je recontacte Malus*, *je serai* bien capable de lui faire changer d'idée et donc je retrouverai ma femme ! »

**(7) Comment Luc pourra-t-il finalement délivrer sa femme, enlevée par Malus ?**

D'abord, ...............................................
Ensuite, ...............................................
Enfin, ...............................................

# 8 Politesse oblige !

1. Ici, les usages veulent qu'on se salue **en se serrant** la main et qu'on se présente **en donnant** son prénom et son nom.

2. On peut aussi « se dire bonjour » et en même temps « s'embrasser ».

   ................................................................................

   ................................................................................

3. On doit aussi enlever son chapeau (quand on est un homme) lorsqu'on entre chez quelqu'un.

   ................................................................................

   ................................................................................

4. Il est aussi recommandé de faire la conversation pendant qu'on déjeune ou dîne à plusieurs.

   ................................................................................

   ................................................................................

5. On doit également s'excuser quand on coupe la parole à quelqu'un.

   ................................................................................

   ................................................................................

6. Et ailleurs ? ....................................................................

   ................................................................................

   ................................................................................

   ................................................................................

   ................................................................................

   ................................................................................

■ **Formation du gérondif : en + ant :**

| | | |
|---|---|---|
| nous lisons | ⟶ **lis** .............. | **en** lis**ant** |
| nous craignons | ⟶ **craign** ......... | **en** craign**ant** |
| nous buvons | ⟶ **buv** ............ | **en** buv**ant** |

*Attention :*

être ............. **en étant**
avoir ........... **en ayant**
savoir .......... **en sachant**

■ Les valeurs du gérondif :

• Le gérondif marque la **simultanéité** de deux actions :

*Ils discutent en prenant un thé* = pendant qu'ils prennent un thé
*Il a souri en la voyant* = au moment où il l'a vue

Le gérondif peut marquer la **manière** dont se réalise une action :

*Il marche en boitant.*
*Il démarre en accélérant.*
*Il voyage en faisant du stop.*

• Le gérondif marque la **condition nécessaire** à la réalisation d'une action :

*En appuyant sur ce bouton, vous pourrez ouvrir la porte.*
*Si vous appuyez sur ce bouton, vous pourrez ouvrir la porte.*

*En appuyant sur ce bouton, vous pourriez ouvrir la porte.*
*Si vous appuyiez sur ce bouton, vous pourriez ouvrir la porte.*

*En appuyant sur ce bouton, vous auriez pu ouvrir la porte.*
*Si vous aviez appuyé sur ce bouton, vous auriez pu ouvrir la porte.*

■ Conditions d'emploi du gérondif : il faut que le sujet grammatical soit le même pour les deux verbes :

*Vous appuyez sur le bouton et ainsi vous ouvrez la porte.*
*En appuyant sur le bouton, vous ouvrez la porte.*

*Il est sorti et en même temps il a dit qu'il reviendrait.*
*Il est sorti en disant qu'il reviendrait.*

Si les sujets grammaticaux sont différents on n'emploie pas le gérondif :

*Si vous ouvrez la porte, je pourrai entrer !*

Toutefois, on remarque quelques exceptions à cette règle :

*L'appétit vient en mangeant.*
*La fortune vient en dormant.*

# Tant pis pour les autres !

C'est en effet le quatrième enfant qui compte désormais ! C'est uniquement à la naissance de votre quatrième enfant que vous profiterez de réels avantages sociaux ! Ce n'est pas une farce ! C'est le ministre de la santé lui-même qui a fait cette promesse aux Français. C'est pour relancer la démographie en péril que le ministre s'est engagé à donner aux familles nombreuses les avantages suivants : « D'abord, c'est à un loyer modéré que vous aurez droit dès la naissance de votre quatrième enfant ; vous profiterez aussi de vacances gratuites ; c'est enfin de la gratuité des crèches municipales que vous allez bénéficier ! » Non, il ne s'agit pas d'une plaisanterie ! C'est bien d'une décision ministérielle qu'il s'agit, car c'est sur l'augmentation des naissances que compte le ministre pour sauver notre démographie en péril. Il semble donc normal que ce soit aux familles nombreuses qu'il s'intéresse en priorité et c'est de cela qu'il parlera ce soir à notre émission télévisée. Mais on comprendra facilement que c'est avec de telles décisions qu'on fait des mécontents !

---

**1** 1. .......... avec étonnement .............. les Français ont reçu cette information concernant les nouvelles mesures sociales :

2. Madame Paradis, mère de deux enfants nous a confié :

   « A mon avis, .............. un salaire mensuel .............. ont besoin ces mères de quatre enfants ! Ce n'est pas de vacances gratuites ! »

3. Pour Madame Jardin, mère de trois enfants, « .............. tous les parents ........ on devrait donner la gratuité des crèches municipales ! .......... toujours .......... familles nombreuses .............. s'intéresse l'État, mais il faut bien se dire que .............. tous les enfants de France .............. on doit s'occuper ! Selon moi, .............. pour forcer les Français à faire des enfants .............. cette décision a été prise ! En tout cas, ....................... moi .......... ils peuvent compter ! J'ai assez de mes trois enfants ! »

4. Le Docteur Rivière nous a expliqué : « A mon avis, .............. la santé des enfants .............. il faut se préoccuper et non pas de la gratuité des crèches ! .............. la santé des enfants .............. il faut penser avant tout et .............. cela .............. ne se préoccupe pas du tout le gouvernement ! »

5. Quant à Jean Besson, célibataire, il pense que « .............. toujours .............. parents .............. l'État donne des avantages. .............. toujours .............. célibataires .............. l'État demande des sacrifices »

6. Voilà l'opinion que nous ont donnée ces interviewés et .................. eux, probablement, .............. l'État demandera de payer la facture du quatrième enfant !

Observez la manière dont on peut mettre un élément de phrase en évidence, en focalisation :

1. *Le ministre de la santé s'intéresse aux familles nombreuses*
   a) ***C'est*** le ministre de la santé ***qui*** s'intéresse aux familles nombreuses et non pas le ministre de l'Éducation !
   b) ***C'est aux*** familles nombreuses ***que*** s'intéresse le ministre de la santé et non pas aux célibataires !

2. *Depuis les dernières élections, les familles nombreuses profitent de réels avantages sociaux*
   a) ***C'est*** depuis les dernières élections ***que*** les familles nombreuses profitent de réels avantages sociaux.
   b) ***Ce sont*** les familles nombreuses ***qui*** profitent de réels avantages sociaux, depuis les dernières élections.
   c) ***C'est de*** réels avantages sociaux ***que*** profitent les familles nombreuses, depuis les dernières élections.

3. *Le ministre compte sur l'augmentation des naissances pour relancer la démographie*
   a) ***C'est*** le ministre ***qui*** compte sur l'augmentation des naissances pour relancer la démographie.
   b) ***C'est sur*** l'augmentation des naissances ***que*** le ministre compte pour relancer la démographie.
   c) ***C'est pour*** relancer la démographie ***que*** le ministre compte sur l'augmentation des naissances.

4. *Hier, des mesures sociales ont été votées par le parlement*
   a) ***Ce sont*** des mesures sociales ***qui*** ont été votées hier par le parlement et non pas des mesures militaires !
   b) ***C'est*** hier ***que*** des mesures sociales ont été votées par le parlement et non pas la semaine dernière !
   c) ***C'est*** par le parlement ***que*** des mesures sociales ont été votées hier !

 **Essayez de transformer les phrases suivantes** en mettant successivement chaque élément souligné en évidence :

1. *Les familles nombreuses auront droit à un loyer modéré dès la naissance d'un quatrième enfant*

   a) .................................................................................
   .................................................................................
   .................................................................................

   b) .................................................................................
   .................................................................................
   .................................................................................

   c) .................................................................................
   .................................................................................
   .................................................................................

2. _Le ministre de la santé a annoncé ses nouvelles mesures sociales pendant le journal télévisé_

    a) ......................................................................................................
    ......................................................................................................
    ......................................................................................................

    b) ......................................................................................................
    ......................................................................................................
    ......................................................................................................

    c) ......................................................................................................
    ......................................................................................................
    ......................................................................................................

4 **Vie de famille nombreuse!**

**C'est bien de leurs 4 enfants qu'ils se préoccupent!!**

■ Comment mettre en évidence ou en focalisation un élément de phrase ?
C'est la fonction de la structure : **C'est… que/qui**

> C'est toi *qui* me plaît et non pas les autres !
> C'est toi *que* j'aime.
> C'est avec toi *que* je veux vivre.
> C'est sur toi *que* je compte.
> C'est à toi *que* que je pense.

Dans ces exemples, l'élément *toi* est mis en évidence : on insiste sur cet élément par opposition à tous les autres (*lui*, *elle*, *eux*, par exemple !)

**Attention** aux constructions du verbe !

avoir besoin **de** : C'est de toi *que* j'ai besoin.

s'intéresser **à** : C'est à toi *que* je m'intéresse.

compter **sur** : C'est sur toi *que* je compte.

# Ce qui est essentiel, c'est de fonder un foyer !

Ce que nous prouvent les résultats du dernier sondage SOFRA, c'est que les jeunes de 20 ans seraient unanimement pour le mariage. Ce qui est extraordinaire, c'est que ce même groupe d'âge était définitivement contre le mariage, il y a à peine une dizaine d'années ! En effet, ce que tout le monde pouvait constater autrefois, c'était la nette diminution des mariages et le nombre de plus en plus important de jeunes qui vivaient ensemble sans passer par la mairie ! Mais la société change vite : ce que les gens détestaient hier, c'étaient les contraintes du mariage ; ce qu'ils adorent aujourd'hui, c'est la sécurité du mariage !
Selon le sondage SOFRA, ce que les jeunes veulent donc, c'est fonder un foyer le plus tôt possible. Ce dont ils ont besoin, c'est de prendre très tôt des responsabilités pour mieux s'insérer dans la société. Ce dont ils ont peur, c'est de la solitude. Ce à quoi ils pensent, c'est à leurs responsabilités familiales. Ce sur quoi ils comptent le plus pour réussir leur vie, c'est sur l'amour et la fidélité.

**1**

1. .................. le gouvernement craignait autrefois, .................. le démentèlement de la cellule sociale.

.................. se réjouit actuellement le gouvernement, .................. l'augmentation des mariages.

2. « .................. le pays a besoin, .................. familles unies.

.................. s'intéresse l'État, .................. familles nombreuses. Alors évidemment, .................. nous réjouit à présent, .................. les jeunes désirent tous se marier pour fonder un foyer ! » Voilà les commentaires du ministre des affaires sociales sur les résultats du sondage SOFRA.

3. Rappelons que, selon ce sondage SOFRA, .................. est remarquable, .................. les jeunes voient dans le mariage une compensation affective aux difficultés de la vie.

4. Finalement, .................. les jeunes pensent en premier, .................. se protéger contre le monde extérieur qu'ils trouvent trop violent.

5. Mais soyons honnêtes, .................. semble le plus vraisemblable, .................. la possibilité d'obtenir des avantages sociaux encourage les jeunes à se marier.

6. Dans notre société, .................. a changé .................. les lois sociales plus que les mentalités.

**Observez deux manières différentes de mettre un élément de phrase en évidence ou en focalisation :**

1. *Tout le monde pouvait constater autrefois <u>la nette diminution des mariages</u>*
   - *Ce que* tout le monde pouvait constater autrefois, *c'était* la nette diminution des mariages.
   - *C'était* la nette diminution des mariages *que* tout le monde pouvait constater autrefois.

2. *Les gens détestaient hier <u>les contraintes du mariage</u>*
   - *Ce que* les gens détestaient hier *c'étaient* les contraintes du mariage.
   - *C'étaient* les contraintes du mariage *que* les gens détestaient hier.

3. *Les jeunes ont peur <u>de la solitude</u>*
   - *Ce dont* les jeunes ont peur *c'est de* la solitude.
   - *C'est de* la solitude *que* les jeunes ont peur.

4. *Ils comptent <u>sur l'amour et la fidélité</u> pour réussir leur vie*
   - *Ce sur quoi* ils comptent *c'est sur* l'amour et la fidélité.
   - *C'est sur* l'amour et la fidélité *qu'*ils comptent pour réussir leur vie.

5. *<u>Le mariage</u> est important pour les jeunes de cette génération.*
   - *Ce qui* est important pour les jeunes *c'est* le mariage.
   - *C'est* le mariage *qui* est important pour les jeunes de cette génération.

6. *Pour l'État, il est essentiel <u>d'encourager les jeunes à se marier</u>.*
   - *Ce qui* est essentiel, *c'est* d'encourager les jeunes à se marier.
   - *C'est* d'encourager les jeunes à se marier *qui* est essentiel.

 « <u>ce que</u> prouve cette BD, <u>c'est que</u> les générations se suivent mais ne se ressemblent pas » !

71

**4** **Essayez de transformer les phrases suivantes** en utilisant deux manières de mettre en évidence ou en focalisation les éléments soulignés :

1. *Le gouvernement craignait autrefois le démantèlement de la cellule familiale.*

a) ........................................................................................................................

........................................................................................................................

b) ........................................................................................................................

........................................................................................................................

2. *Actuellement le gouvernement se réjouit du grand nombre des mariages.*

a) ........................................................................................................................

........................................................................................................................

b) ........................................................................................................................

........................................................................................................................

2. *Ce sondage confirme le total succès de la politique sociale menée depuis 10 ans.*

a) ........................................................................................................................

........................................................................................................................

b) ........................................................................................................................

........................................................................................................................

---

■ La structure **ce qui/que... c'est...** permet aussi de mettre en évidence un élément de phrase :

*Ce qui m'intéresse, c'est l'amour et non pas l'argent !*
*Ce qui m'intéresse, c'est que tu aimes la musique !*
*Ce qui est important, c'est de s'aimer.*
*Ce que j'aime, c'est écouter de la musique avec toi.*
*Ce que je veux, c'est fonder un foyer.*
*Ce dont j'ai besoin, c'est de sécurité.*
*Ce sur quoi je compte, c'est sur la tradition.*
*Ce à quoi je pense, c'est à l'avenir.*

Il y a reprise de la préposition : **c'est de..., c'est sur..., c'est à...**

**Attention !** L'élément mis en évidence par la structure **ce qui... c'est,** est celui qui suit **c'est** :

*Ce qui m'intéresse, c'est l'amour et non pas l'argent !*

comme dans :

*C'est l'amour qui m'intéresse et non pas l'argent !*

# La chasse aux célibataires

« La chasse aux célibataires » c'est ce qu'annoncent les journaux d'aujourd'hui ! En effet, tous les célibataires devront payer 10% « en plus » d'impôt sur le revenu, c'est ce qui a été décidé par le ministre des finances ! Et c'est ce dont se plaindront vigoureusement les célibataires ! Mais si l'on veut appliquer les dernières lois sociales en faveur des familles nombreuses et des jeunes couples mariés, il faut bien trouver quelqu'un pour payer la facture. Les célibataires seront donc pénalisés, c'est ce à quoi ils ne s'attendaient certainement pas !

1. Une association de célibataires est en train de se constituer pour refuser cette décision arbitraire, ............................ était à prévoir.

2. Certains célibataires pensent à se marier le plus vite possible pour éviter cet impôt supplémentaire et ............................ comptait bien le ministre !

3. Ainsi, nos derniers célibataires seront condamnés au mariage ou devront se serrer la ceinture un peu plus et ............................ se réjouira certainement le ministre des affaires sociales !

4. Mais est-ce une si bonne solution ? Faut-il ainsi forcer les gens à se marier ? ..............
.............. on peut douter !

5. Si cette décision du ministre ne se réalise pas, tous les impôts devront être augmentés :
............................ il faut s'attendre !

**Observez trois manières possibles de mettre en évidence un élément de phrase :**

1. *Les journaux annoncent « la chasse aux célibataires »*
- *Ce qu'*annoncent les journaux, *c'est* la chasse aux célibataires.
- *C'est* la chasse aux célibataires *qu'*annoncent les journaux.
- « La chasse aux célibataires » *c'est ce qu'*annoncent les journaux.

2. *L'augmentation de l'impôt a été décidée par le ministre*
- *Ce qui* a été décidé, *c'est* l'augmentation de l'impôt.
- *C'est* l'augmentation de l'impôt *qui* a été décidée.
- « Augmentation des impôts » ; *c'est ce qui* a été décidé par le ministre.

3. *Les célibataires ne s'attendaient pas à cette augmentation*
- *Ce à quoi* les célibataires ne s'attendaient pas, *c'est à* cette augmentation.
- *C'est à* cette augmentation *que* les célibataires ne s'attendaient pas.
- Cette augmentation ? *c'est ce à quoi* ne s'attendaient pas les célibataires.

4. *Le gouvernement a besoin d'argent pour payer sa facture sociale*
- *Ce dont* le gouvernement a besoin, *c'est d'*argent.
- *C'est d'*argent *que* le gouvernement a besoin.
- L'argent pour payer sa facture sociale, *c'est ce dont* a besoin le gouvernement.

La structure : **... c'est ce que.../... c'est ce qui...**
permet de reprendre un élément de phrase que l'on veut commenter ou sur lequel on veut insister :

    *La sécurité ? <u>C'est ce dont</u> tout le monde a besoin !*
    *La tradition ? <u>C'est ce sur quoi</u> je compte !*
    *L'avenir ? <u>C'est ce à quoi</u> je pense !*
    *Ils se marient ! <u>C'est ce que</u> prétendent les journaux !*

**Attention !** le *ce* de **c'est ce que** reprend ou rappelle l'élément dont on vient de parler.
Dans : *l'avenir ? c'est ce à quoi je pense ! ce* rappelle *l'avenir* — cela donne une force supplémentaire et met en évidence l'importance de l'élément *l'avenir* dans le discours de celui qui parle.

**(4) Test de caractère :** ce que vous découvrirez en répondant à ce test, c'est votre vraie personnalité !

1. Qu'est qui compte dans la vie ?

richesse/bonheur
santé/réussite

.......................................................................................

2. Qu'est-ce que vous appréciez chez vos amis ?

bonne humeur
sérieux
fidélité
discrétion
argent

.......................................................................................

3. Sur quoi faut-il compter pour réussir sa vie ?

travail
chance
relations
efforts

.......................................................................................

4. De quoi vous plaignez-vous le plus ?

temps
argent
chômage
misère
maladie
travail

.......................................................................................

5. De quoi dépend la réussite d'un enfant ?

éducation
caractère
famille
argent

.......................................................................................

6. Que changeriez-vous immédiatement dans votre vie ?

travail
salaire
emploi du temps
occupations

.......................................................................................

7. De quoi avez-vous le plus besoin actuellement ?

argent
amitié
autre

.......................................................................................

**Récapitulatif**

Il y a 3 possibilités de mettre un élément de phrase en évidence, en focalisation :

(1) *C'est l'amour qui m'intéresse et non pas l'argent !*
(2) *Ce qui m'intéresse, c'est l'amour et non pas l'argent !*
(3) *L'amour ! c'est ce qui m'intéresse !*
ou : *L'amour ! voilà ce qui m'intéresse !*

# DOSSIER 6

## Interculturellement vôtre

# Interculturellement vôtre !

• *(Notre page de correspondance s'adresse à tous les lecteurs ayant envie de se rencontrer : n'hésitez pas à répondre !)*

• *Anne, 25 ans :* « Possédant une voiture neuve mais ne sachant pas conduire, j'aimerais trouver un chauffeur acceptant de m'accompagner 15 jours en Grèce. »

• *Isabelle, 30 ans :* « Mon loyer ayant considérablement augmenté, je cherche un célibataire désirant partager mon appartement dans le 5e arrondissement. »

• *Florent, 19 ans :* « Ayant lu votre petite annonce, je me propose de vous conduire en Grèce. Étant chômeur, je suis immédiatement disponible. Mais, attention ! Ma carte d'identité expirant le 1er septembre, je devrai revenir en France le 30 ou le 31 août ! »

• *Laurence, 22 ans :* « Désirant passer mes vacances en Italie mais n'osant pas partir seule, j'aimerais rencontrer un étudiant italien ayant envie de faire ce voyage avec moi. »

• *Thomas, 25 ans :* « Arrivant à Paris pour la première fois il y a 15 jours, mais ne trouvant pas d'appartement à louer, je suis descendu à l'hôtel. Je cherche désespérément un lecteur ou une lectrice ayant un appartement à partager. »

• *Martine, 29 ans :* « Bien que n'ayant jamais fait de tennis, je m'intéresse à ce sport ! C'est pourquoi je cherche un partenaire ne craignant pas de jouer avec une débutante. »

**1** Questions à se poser avant de répondre aux petites annonces de *inter culturellement vôtre !*

1. Pourquoi Anne a-t-elle besoin d'un *chauffeur qui accepterait d'aller en Grèce* ?

..................................................................................................

Selon vous, est-ce bien la seule raison ?

..................................................................................................

..................................................................................................

2. Pourquoi Laurence aimerait-elle rencontrer un étudiant italien *qui a envie de faire ce voyage avec elle* ?

..................................................................................................

Est-ce bien la seule raison ?

..................................................................................................

..................................................................................................

3. Pourquoi Martine cherche-t-elle un partenaire de tennis *qui ne craint pas de jouer avec elle* ?

..................................................................................................

Est-ce bien la vraie raison ?

..................................................................................................

..................................................................................................

4. Pourquoi Thomas cherche-t-il un lecteur ou une lectrice *qui désire partager un appartement ?*

. . . . . . . . . . . . . . . . . . . . . . . . . . . . . . . . . . . . . . . . . . . . . . . . . . . . . . . . . . . . . . . . . . . . . . . . . . . . . . . . . . . . . .

Est-ce bien vrai, à votre avis ?

. . . . . . . . . . . . . . . . . . . . . . . . . . . . . . . . . . . . . . . . . . . . . . . . . . . . . . . . . . . . . . . . . . . . . . . . . . . . . . . . . . . . . .

. . . . . . . . . . . . . . . . . . . . . . . . . . . . . . . . . . . . . . . . . . . . . . . . . . . . . . . . . . . . . . . . . . . . . . . . . . . . . . . . . . . . . .

**2** **Observez et comparez la construction des phrases : trouvez les conditions d'emploi des participes.**

1. a) ***Comme il croit*** que les voyages forment la jeunesse, ***mon père*** m'envoie à l'étranger tous les étés.
   a') ***Croyant*** que les voyages forment la jeunesse, ***mon père*** m'envoie à l'étranger tous les étés.

   b) ***Comme mon père croit*** que les voyages forment la jeunesse, *je* dois partir à l'étranger tous les étés !
   b') ***Mon père croyant*** que les voyages forment la jeunesse, *je* dois partir à l'étranger tous les étés.

2. a) ***Bien que mon fils*** ait fait 4 ans de grec, *il* ne comprend rien du tout quand il est à Athènes !
   a') ***Bien qu'ayant fait*** 4 ans de grec, ***mon fils*** ne comprend rien du tout quand il est à Athènes !

   Mais :
   b) ***Bien que je*** lui aie écrit, ***mon fils*** ne m'a pas répondu.

3. a) J'aimerais connaître un lecteur ***qui accepte*** de venir avec moi en Italie.
   a') J'aimerais connaître un lecteur ***acceptant*** de venir avec moi en Italie.

**3** Ils veulent passer une petite annonce pour notre prochaine page : *interculturellement vôtre*

1. ***Comme Carmen a été élevée*** par des parents espagnols ***qui vivent*** à Paris, elle a un accent espagnol en français et un accent français en espagnol.
   ***Parce qu'elle se demande*** si c'est normal, elle aimerait savoir si les lecteurs ***qui s'intéressent*** à cette question connaissent des cas semblables ou sont eux-mêmes dans ce cas :
   Carmen, 19 ans : « . . . . . . . . . . . . . . . . . . . . . . . . . . . . . . . . . . . . . . . . . . . . . . . . . . . . .

. . . . . . . . . . . . . . . . . . . . . . . . . . . . . . . . . . . . . . . . . . . . . . . . . . . . . . . . . . . . . . . . . . . . . . . . . . . . . . . . . . . . . .

. . . . . . . . . . . . . . . . . . . . . . . . . . . . . . . . . . . . . . . . . . . . . . . . . . . . . . . . . . . . . . . . . . . . . . . . . . . . . . . . . . . . . .

. . . . . . . . . . . . . . . . . . . . . . . . . . . . . . . . . . . . . . . . . . . . . . . . . . . . . . . . . . . . . . . . . . . . . . . . . . . . . . . . . . . . . .

. . . . . . . . . . . . . . . . . . . . . . . . . . . . . . . . . . . . . . . . . . . . . . . . . . . . . . . . . . . . . . . . . . . . . . . . . . . . . . . . . . . . . .

. . . . . . . . . . . . . . . . . . . . . . . . . . . . . . . . . . . . . . . . . . . . . . . . . . . . . . . . . . . . . . . . . . . . . . . . . . . . . . . . . . . . . .

. . . . . . . . . . . . . . . . . . . . . . . . . . . . . . . . . . . . . . . . . . . . . . . . . . . . . . . . . . . . . . . . . . . . . . . . . . . . . . . . . »

2. A Paris Julie connaît un Américain **qui lit et écrit** parfaitement le français mais **qui ne comprend toujours pas** ni son boulanger ni son coiffeur, tous les deux Français ! **Parce qu'elle ne comprend pas** ce phénomène, Julie aimerait que des lecteurs, **qui connaissent la linguistique**, puissent le lui expliquer.

*Julie, 16 ans :* « .....................................................................................

.....................................................................................

.....................................................................................

.....................................................................................

.....................................................................................

............................................................................... »

3. Jérôme a rencontré une jeune Canadienne **qui étudie** le français à Paris. **Bien qu'elle ait** des parents français **qui parlent** toujours le français entre eux, cette jeune Canadienne lui a avoué qu'elle n'avait jamais pu apprendre le français à la maison. **Comme Jérôme trouve** ce cas bizarre, il aimerait savoir si des lectrices ont déjà entendu des histoires semblables.

*Jérôme, 16 ans :* « .....................................................................................

.....................................................................................

.....................................................................................

.....................................................................................

.....................................................................................

.....................................................................................

............................................................................... »

## Cours et leçons

• Née en Allemagne et scolarisée là-bas jusqu'à l'âge de 14 ans, je parle l'allemand couramment. Je vous propose de converser agréablement avec vous dans cette langue une ou deux fois par semaine,
Téléphonez à Irène 43.50.00.13.

• Accidenté en mars, mon fils a dû interrompre son année de troisième au lycée. Aidé par un enseignant qui viendrait régulièrement, il pourrait rattraper le temps perdu. Nous cherchons donc une personne intéressée par ce travail. Madame Dupond et Denis
Tél. : 43.56.78.23.

• Bien qu'élevée dans le Berry, je ne connais rien au folklore de ce pays. Où pourrais-je m'adresser pour combler cette lacune ? Arlette, 12, rue Mirebeau. Bourges.

• Les vacances étant terminées, vous cherchez à en prolonger les effets bénéfiques. Venez vous détendre et retrouvez votre forme chaque semaine en apprenant le Rao Han. Tél. au 43.97.65.46 de 15 heures à 19 heures.

• Mon baccalauréat une fois passé, je me lance dans l'enseignement de la vannerie, ma passion. S'il y a parmi vous de futurs élèves, venez me voir au 24, rue des Joncs, le soir.

 **Observez et comparez les phrases : de quel participe s'agit-il ?** Trouvez les conditions d'emploi de ses deux formes et remarquez les différentes significations.

1. a) ***Comme elle a été renvoyée de sa pension*** et ***qu'elle est revenue*** habiter chez ses parents, ***Marie*** cherche un professeur à domicile.
   a') ***Ayant été renvoyée*** de sa pension et ***étant revenue*** habiter chez ses parents, ***Marie*** cherche un professeur à domicile.
   a'') ***Renvoyée*** de sa pension et ***revenue*** habiter chez ses parents, ***Marie*** cherche un professeur à domicile.

   Mais :
   b) ***Comme le cours*** est terminé, ***vous*** devrez attendre la prochaine session.
   b') ***Le cours étant terminé, vous*** devrez attendre la prochaine session.

2. a) ***Bien que Gina ait été élevée*** en Italie, ***elle*** ne connait pas bien ce pays.
   a') ***Bien qu'ayant été élevée*** en Italie, ***Gina*** ne connait pas bien ce pays.
   a'') ***Bien qu'élevée*** en Italie, ***Gina*** ne connait pas bien ce pays.

   Mais :
   b) ***Bien que mes parents*** soient très opposés à mes projets, ***j'***ai fait ce que je voulais.

3. a) ***S'il était régulièrement aidé*** par quelqu'un, ***Denis*** rattraperait le temps perdu.
   a') ***Étant régulièrement aidé*** par quelqu'un, ***Denis*** rattraperait le temps perdu.
   a'') ***Régulièrement aidé*** par quelqu'un, ***Denis*** rattraperait le temps perdu.

   Mais :
   b) ***Si ses parents*** avaient été informés plus tôt, ***Denis*** aurait pu entrer en section C.

4. a) ***Aussitôt que je suis arrivé*** à Paris, ***j'***ai passé une annonce pour donner des cours.
   a') ***Sitôt arrivé*** à Paris, ***j'***ai passé une annonce pour donner des cours.

   b) ***Une fois que les dix leçons*** seront terminées, ***vous*** pourrez vous lancer dans la vie sans problèmes !
   b') ***Les dix leçons terminées, vous*** pourrez vous lancer dans la vie sans problèmes !

5. a) Les personnes ***qui ont été inscrites*** en 1987 sont priées de le signaler.
   a') Les personnes ***ayant été inscrites*** en 1987 sont priées de le signaler.
   a'') Les personnes ***inscrites*** en 1987 sont priées de le signaler.

**Annonces publicitaires pour méthodes extraordinaires.**

1. Parce qu'ils *sont persuadés* qu'ils vieillissent, beaucoup de gens se sentent fatigués et malades.
   Proposez-leur des séances de rajeunissement mental :

   «   ......................................................................................................................................
   ......................................................................................................................................
   ......................................................................................................................................
   ...................................................................................................................................... »


2. Il y a des gens qui *ont été déçus* ou *maltraités* par la vie. Mais ils peuvent quand même retrouver optimisme et confiance en eux grâce aux séances que leur propose la méthode VIBEL.

   «   ......................................................................................................................................
   ......................................................................................................................................
   ......................................................................................................................................
   ...................................................................................................................................... »


3. Beaucoup de gens se plaignent de ne pas avoir assez de temps. S'ils *étaient initiés* à la méthode « bien vivre », ils découvriraient les moyens de ne plus courir après le temps.

   «   ......................................................................................................................................
   ......................................................................................................................................
   ......................................................................................................................................
   ...................................................................................................................................... »


4. Le Houla hoop en 15 leçons ! Lorsque les quinze leçons *sont terminées,* on peut le pratiquer sans aucun complexe et avec aisance.

   «   ......................................................................................................................................
   ......................................................................................................................................
   ......................................................................................................................................
   ...................................................................................................................................... »


5. Cette méthode de lecture rapide *est utilisée* par beaucoup de dirigeants de sociétés. On peut donc lui faire confiance.

   «   ......................................................................................................................................
   ......................................................................................................................................
   ......................................................................................................................................
   ...................................................................................................................................... »

**6** Interculturellement vôtre, (suite et fin) :

1. *John, 42 ans :* « ............................... à une Parisienne     marier
   et ............. déjà ............. 22 ans à Paris, je pourrais     passer
   croire que je parle bien le français ! Malheureusement, il n'en
   est rien ! L'autre jour, ........................... à un agent     s'adresser
   de ville, (en français bien entendu) j'ai eu la surprise de
   l'entendre me répondre en anglais. Horriblement ...........     vexer
   par cette expérience j'ai décidé de ne plus communiquer que
   par écrit »

2. *Pierre, 36 ans :* « La semaine dernière, .....................     revenir
   de Londres, j'ai dû, comme tout le monde, passer à la
   douane. ...........................à la main mon passeport     tenir
   français, j'attendais mon tour quand tout à coup, .............     remarquer
   .............. dans la queue par un douanier, je l'ai entendu
   me crier : « Vous vous trompez, Monsieur ! Ici, c'est uniquement pour les ressortissants français. Passez par l'autre
   porte, la porte C. » ........................... que l'erreur est     savoir
   humaine, je n'ai pas répondu mais j'ai quand même un peu
   rigolé, ce douanier ........................... tout aussi noir     être
   que moi !

3. *Antoinette, 29 ans :* « ........................... de Toulouse,     venir
   j'ai un accent très prononcé. Depuis mon arrivée à Paris,
   ........................... constamment pour une étrangère,     prendre
   je me sens très complexée. L'autre jour, par exemple,
   ...................... un renseignement par téléphone, j'ai     demander
   entendu la secrétaire me répondre : « Ne quittez pas señorita,
   je vous passe notre interprète ! »

■ Les participes présent et passé peuvent marquer :

• **La cause :**

*Croyant qu'il était en voyage, je ne lui ai pas téléphoné =*
Comme je croyais qu'il était en voyage, . . .

*Accidenté, Paul n'a pas pu poursuivre ses études =*
*Ayant été accidenté, Paul . . . =*
Comme il a été accidenté, Paul . . .

*Mes amis partant en vacances, j'occuperai leur appartement en août =*
Comme mes amis partent en vacances, j'occuperai . . .

*L'appartement étant occupé, je ne peux pas m'y installer maintenant =*
Puisque l'appartement est occupé, . . .

• **La condition :**

*Partant à plusieurs, nous ferions un voyage plus agréable =*
Si nous partions à plusieurs . . .

*Formés par la méthode « Vite Virtuose », ces élèves n'en seraient plus là =*
S'ils étaient formés . . .

■ Les participes présent et passé s'emploient aussi dans les **concessives :**

*Bien qu'ayant du temps et de l'argent, il ne part pas en vacances.*
*Bien qu'ayant écrit, je n'ai pas eu de réponse.*
*Bien qu'étant parti à sept heures, il n'est pas encore arrivé.*
*Bien que parti à sept heures, il n'est pas encore arrivé.*

Toutefois, cet emploi se limite aux phrases ayant le même sujet grammatical pour les deux verbes ; si les sujets sont différents, on ne peut pas utiliser le participe :

*Bien que j'aie écrit, ils ne m'ont pas répondu.*

■ **Attention !**

• Les participes comme *accidenté, parti, occupé,* sont des réductions de :
*ayant été accidenté* (participe passé passif)
*étant parti* (participe passé d'un verbe conjugué avec être)
*étant occupé* (participe passé employé comme adjectif)

• Ces formes réduites sont aussi utilisées pour marquer un **rapport temporel :**
*Sitôt renvoyée du lycée, Marie s'est mise à travailler.*
*Votre baccalauréat passé, vous pourrez entrer dans cette école.*

■ Les participes présent et passé peuvent remplacer une proposition relative en **qui :**

*Je cherche des étudiants parlant l'italien =*
Je cherche des étudiants qui parlent l'italien

*Les personnes ayant déjà fait du tennis viendront le mardi =*
Les personnes qui ont déjà fait du tennis, . . .

*Cette offre s'adresse à une personne formée en marketing =*
Cette offre s'adresse à une personne qui est formée . . .

# DOSSIER 7

## Conseils pratiques

## La prudence est la mère de la sûreté ! On nous le rappelle à tous propos :

- « Vous ferez attention à ces produits : ils sont dangereux ! »
- « Fais attention à toi ! »
- « Fais donc attention ! Tu vas te faire mal ! »
- « Évidemment, vous n'avez pas fait attention à ce qu'il prenait ! »
- « Avez-vous fait attention à ce qui arrivait ? »
- « La prochaine fois, tu feras attention à ce qu'elle soit fermée[1] ! »
- « Vraiment, on a fait attention à ne pas le froisser, mais... »
- « Ils n'auront pas fait attention à ses conseils ! »

1. (Peut se dire aussi : « tu feras attention qu'elle soit fermée »

---

**1** **Relevez six constructions possibles de l'expression** *faire attention* :

1) ...........................................................................................................

2) Faire attention <u>à</u> + Nom = Ils n'auront pas fait attention à ses conseils.

3) ...........................................................................................................

4) ...........................................................................................................

5) ...........................................................................................................

6) ...........................................................................................................

**2** **Observez, comparez et essayez d'expliquer la différence de construction :**

1. a)  Vous ferez attention *à ce qu'il ne soit pas froissé !*
   a') Vraiment, on a fait attention *à ne pas le froisser !*

   ...........................................................................................................

   ...........................................................................................................

   ...........................................................................................................

2. a)  Ils n'auront pas fait attention *à ses conseils.*
   a') Ils n'auront pas fait attention *à ce qu'il leur a conseillé.*

   ...........................................................................................................

   ...........................................................................................................

   ...........................................................................................................

3. a)  Faites attention *à ce que je vous dis !*
   b)  Faites attention *à ce qu'il ne prenne pas* ce médicament.

   ...........................................................................................................

   ...........................................................................................................

   ...........................................................................................................

**Les pédiatres demandent que vous respectiez leurs conseils :**

ils vous proposent 8 règles essentielles pour bien élever votre enfant :

1. Faire attention à sa santé.
2. S'intéresser à ce qu'il se développe bien psychologiquement.
3. Veiller à ce qu'il reçoive beaucoup de preuves d'amour.
4. Tenir à ce qu'il prenne de bonnes habitudes.
5. S'opposer à tous ses caprices.
6. Prendre toujours garde à ce qu'il veut vous dire.
7. Penser très tôt à ce qu'il pourra faire plus tard.
8. S'attendre à ce que son éducation ne soit pas si facile !

Mais ces 8 règles sont-elles suffisantes pour bien élever un enfant ?

 **Autres conseils d'un pédiatre :**

1. Mesdames faites bien attention .............. je vous — dire
............... Vous ferez toujours attention ............
votre enfant .............. bien couvert. — être
Prenez garde .............. vous lui .............. — mettre
comme vêtement : de la laine mais pas de synthétique !

2. Vous penserez ............... il ...............régulière- — prendre
ment des vitamines A, B, C.
Vous ferez particulièrement attention .............. il
............... il lui faut toujours des repas équilibrés. — manger

3. Prenez garde .............. il ne .............. pas trop — faire
de sport : du foot-ball, oui ! de la boxe, non !
Veillez ............... il ............... comme sport ! — faire

4. Vous tiendrez .............. il .............. couché de — être
bonne heure.
Vous ferez attention ...................... le plus utile — être
pour un enfant : ses 8 heures de sommeil.
Je tiens .............. vous n' .............. pas mes — oublier
recommandations !

5. Vous veillerez également .............. il ne ......... — boire
jamais d'alcool.
Réfléchissez .............. vous lui .............. à — donner
boire ! Jus de fruit, eau minérale, chocolat chaud mais
pas de café et surtout pas d'alcool !

# On les entend souvent.

Mais sont-ils bien sages, ces conseils de la sagesse populaire ?

- « Contente-toi de ce que tu as ! »
- « Ne te plains pas de ce qui t'arrive ! »
- « Réjouis-toi que nous soyons en vie[1] »
- « Ne te moque pas ou ne ris pas du malheur des autres ! »
- « Occupe-toi de ce qui te regarde ! »
- « Profite du moment présent ! Profite de ce que te donne la vie ! »
- « Inquiète-toi de ce que sera demain ! »
- « Méfie-toi de l'eau qui dort ! »
- « Ne t'étonne de rien ! »
- « Tiens compte du temps qui passe ! »

(1) (Peut se dire aussi : « réjouis-toi de ce que nous soyons en vie »

**5** Observez les constructions de ces verbes. Comparez-les aux constructions de faire *attention à.*

.................................................................................................................

.................................................................................................................

.................................................................................................................

**6** Observez, comparez et essayez d'expliquer les différences de constructions entre :

1. Réjouis-toi *de ce que tu as !*

2. Réjouis-toi *d'avoir* des parents attentionnés !

3. Réjouis-toi *des conseils* qu'ils te donnent

4. Réjouis-toi *de ce qu'ils soient* toujours en vie !

.................................................................................................................

.................................................................................................................

**7** Conseils d'un médecin à la femme d'un patient

Utilisez les verbes étudiés dans ce dossier pour compléter les conseils du médecin !

1. ................................. il prenne ses médicaments !

2. ................................. que deviendrait votre famille sans lui !

3. ................................. sa santé !

4. ................................. le soigner énergiquement !

5. ................................. il soit longtemps fatigué !

6. ............................ il soit prudent à l'avenir !

7. ............................ il prenne froid !

8. ............................ qui vous arrivera si vous ne suivez pas mes conseils !

9. ............................ je vous dis si vous voulez que votre mari guérisse !

10. ............................ votre responsabilité !

## 8 Est-ce bien sage, tout ça ?

| | indicatif | subjonctif |
|---|---|---|
| 1. On se plaint de la *fermeture* des magasins le dimanche. | ☐ | ☐ |
| Et pourtant le gouvernement s'oppose à leur *ouverture* ! | ☐ | ☐ |
| 2. On s'attend à l'*augmentation* des ventes. | ☐ | ☐ |
| Mais on ne veille pas à la *baisse* des prix ! | ☐ | ☐ |
| 3. On se méfie parfois des *promesses* du gouvernement. | ☐ | ☐ |
| Mais on ne s'inquiète pas toujours de ses *décisions* ! | ☐ | ☐ |
| 4. On tient à la *santé* de son enfant. | ☐ | ☐ |
| Mais on ne veille pas à son *alimentation* ! | ☐ | ☐ |
| 5. On se réjouit de la *guérison* d'un malade. | ☐ | ☐ |
| Mais on se méfie des *conseils* du médecin. | ☐ | ☐ |
| 6. On s'attend toujours à la *réussite* de son enfant. | ☐ | ☐ |
| Mais on ne fait pas toujours attention à ses *lectures* ! | ☐ | ☐ |
| 7. On se plaint du *départ* d'un ami. | ☐ | ☐ |
| Mais on ne se réjouit pas toujours de son *retour* ! | ☐ | ☐ |

■ Certains verbes et locutions verbales acceptent différentes constructions. Par exemple, le verbe **vouloir** permet

— une construction infinitive : **Vouloir + infinitif** :
   *Je veux vous soigner.*
cette construction est toujours possible lorsque le sujet grammatical du verbe est le même que celui de l'infinitif.

— une construction avec **que + subjonctif** :
   *Je veux que vous guérissiez.*
cette construction est obligatoire lorsque les sujets grammaticaux des deux verbes sont différents.

— deux constructions **nominales** :
   a) *Je veux ce médicament.*
Cette construction nominale se trouve dans :
   *Je veux ce qui est sur la table.*
   *Je veux ce que tu m'as promis.*
   b) *Je veux ta guérison* = je veux que tu guérisses.

■ Pour un certain nombre de verbes et locutions verbales régis par les prépositions **à/d/sur** etc. les constructions sont les mêmes (avec présence de la préposition) :

— avec **à**
*Je tiens à vous soigner.*
*Je tiens à ce que vous guérissiez = Je tiens à votre guérison.*
*Je tiens à ce médicament.*
*Je tiens à ce que vous m'avez promis.*

— avec **de**
*Il se plaint d'être toujours malade.*
*Il se plaint de ce que je réussisse = Il se plaint de mes réussites.*
*Il se plaint du bruit de la rue.*
*Il se plaint de ce qu'il entend dans la rue.*

Parfois, la construction avec **que + subjonctif** donne deux possibilités :
*Faites attention à ce que la porte soit fermée. Faites attention que la porte soit fermée.*
*Je me réjouis de ce que tu viennes avec moi. Je me réjouis que tu viennes avec moi.*

■ **Attention !**
La préposition **de** s'efface toujours devant la construction
**que + subjonctif** pour certaines locutions verbales comme :

**avoir peur de**   : *J'ai peur qu'il ne parte.*
**avoir envie de**  : *J'ai envie qu'il parte.*
**avoir besoin de** : *J'ai besoin qu'il vienne.*

# DOSSIER 8

## La voix de la sagesse populaire

## « Et pourtant, elle tourne ! »

• Depuis Galilée, les hommes savent bien que la terre tourne autour du soleil. Ce n'est donc pas le soleil qui se lève le matin et qui se couche le soir ! Et pourtant, au XXe siècle, on continue toujours à employer ces expressions scientifiquement erronées mais néanmoins poétiques !

• La nuit tombe, la nuit descend. Le vent souffle, la mer monte ou descend selon les marées : ces expressions sont autant de contre-sens scientifiques ! La tradition est décidément plus tenace que la connaissance !

• Quant aux jours, ils raccourcissent en automne ou s'allongent au printemps ! Pourtant, ils ont toujours 24 heures !

• La lune est un astre mort, n'est-ce pas ? Pourtant, lorsque les gens regardent la pleine lune, ils n'hésitent pas à dire qu'elle brille comme le soleil ! La langue populaire et la science ont décidément du mal à s'accorder !

• « Il est dans la lune », pense-t-on couramment du distrait. Quand la lune sera habitée, cette expression deviendra ambiguë ! Il est vrai que les humains pourront toujours distinguer un distrait d'un cosmonaute en précisant que ce dernier se trouve actuellement en mission sur la lune !

 **Le jeu des devinettes**

1. « Sans lui point de vie » qu'est-ce que c'est ?

.................................................................................

2. « Elle brille et ressemble à un point sur un i » qu'est-ce que c'est ?

.................................................................................

3. « Il habite Rome et porte toujours une robe blanche » qui est-ce ?

.................................................................................

4. « C'est le livre le plus ancien »

.................................................................................

5. « Il est indispensable pour la navigation à voile » qu'est-ce que c'est ?

.................................................................................

6. « C'est l'invention la plus dangereuse pour l'humanité »

.................................................................................

7. « Elle tombe 365 fois par an sans se faire mal. »

.................................................................................

8. « Vue de très loin, elle est bleue comme une orange. »

.................................................................................

**Le savoir collectif?** mais c'est l'ensemble des expériences connues et partagées par tous!

1. En général, ..... gens ont plus peur ..... tonnerre que ..... éclairs et pourtant, ..... tonnerre ne fait que du bruit, alors que ..... éclairs peuvent tuer!

2. Pourquoi oppose-t-on toujours ..... vie .......... mort? ..... science nous apprend pourtant que ..... mort est complémentaire .......... vie!

3. Verlaine a écrit : « ..... ciel est par dessus ..... toit » : Pouvez-vous imaginer ..... contraire?

4. A propos .......... sagesse populaire, elle veut que ..... yeux soient ..... miroir ..... âme : où doit donc se placer ..... âme pour se reflèter dans ..... yeux?

5. Descartes a dit : « ..... bon sens est ..... chose ..... monde la mieux partagée » : c'est peut-être pourquoi nous en avons si peu chacun!

6. Contrairement .......... expression, « une petite minute » possède au moins 60 secondes, sinon plus!

7. Ceux qui pensent ..... passé, parlent ..... avenir et oublient ..... présent, sont-ils bien sages?

8. Il est curieux de constater que ..... lois s'opposent presque toujours .......... nature profonde ..... hommes!

9. On entend souvent dire que ..... homme préfère ..... liberté .......... égalité : Qu'en pensez-vous?

 **Écoutez ces conversations de rue :** ces situations quotidiennes sont bien connues de tous!

1. — Je n'ai pas fermé l'œil de ................. : je suis très fatiguée!

   — Moi, je n'ai pas mangé de toute .......................... : je commence à avoir très faim!

2. — Je ne suis plus toute jeune! Je perds .......................... ! J'oublie tout!

   — Mon mari, c'est encore plus grave! Il a perdu ................. : il est depuis deux mois à .......................... psychiatrique.

3. — Je vais à ................. : j'ai des timbres à acheter. Vous m'accompagnez?

   — Ah non, moi je n'ai plus un sou pour faire mes courses, je dois passer à ...............

4. — Vous avez entendu ......................... ? .................. est fermé ! il n'y

aura pas d'avion aujourd'hui !

— Ah bon ? Je ne le savais pas ! Moi, je n'achète jamais .......................... et

je n'écoute pas non plus ..................

5. — J'ai trouvé 100 francs dans .................. : je les ai gardés, je n'allais pas les

rapporter .................. !

— Moi, j'ai été malade. .................. m'a donné dix jours de congé-maladie.

— Vos frais de maladie vous sont remboursés par .......................... ?

6. — Mon fils est parti en vacances !

— Il a pris .................. ou .................. ?

— Ni l'un ni l'autre ! Il est parti à pied ! C'est .................. !

---

■ L'article défini **le/la/les** s'applique aux mots qui représentent des **idées**, des **notions**, des **situations**, des **êtres**, des **choses** ou des phénomènes naturels considérés comme **connus** par les interlocuteurs :

| | | |
|---|---|---|
| *la lune* | *la bible* | |
| *le soleil* | *le coran* | |
| *le tonnerre* | *le pape* | |
| *les gens* | *les armes nucléaires* | |
| | | |
| *la sagesse populaire* | *la nuit* | *la banque* |
| *l'expérience* | *le jour* | *la rue* |
| *la raison* | *le vent* | *le train* |
| *la sécurité sociale* | *le temps* | *l'avion* |
| *la mode* | *la vie* | *l'hôpital* |
| ... | ... | ... |

Donc, l'article défini **le/la/les** présuppose toujours un élément connu ou considéré comme tel.

■ L'article défini **le/la/les**, précédé des prépositions **de** et **à**, devient **du/de la/des** et **au/à la/aux**

| avoir peur **de** | ⟶ | avoir peur du tonnerre |
| contrairement **à** | ⟶ | contrairement aux habitudes |
| penser **à** | ⟶ | penser au passé |
| parler **de** | ⟶ | parler de l'avenir |
| à propos **de** | ⟶ | à propos de la sagesse populaire |

## D'accord? Pas d'accord?

D'une façon générale, c'est ce que l'on entend dire la plupart du temps.

— A Paris, on est plutôt individualiste !
— Je dirais même que les Parisiens sont égoïstes !
— Moi, je trouve le Parisien plutôt accueillant par opposition au Provincial !
— A mon avis, le Parisien ne vaut pas mieux que le Provincial !
— Oh ben, dites donc, vous êtes pourtant Français, vous ! Un Français ne devrait pas dénigrer ses compatriotes de cette manière !

 **On entend dire ces généralités**

1. — A Marseille, on exagère toujours !

   — C'est vrai que *les Marseillais* sont excessifs !

2. — A Bordeaux on aime beaucoup la bonne cuisine !

   — ............................................................................

3. — En Angleterre, tout le monde prend le thé à 5 heures.

   — ............................................................................

4. — En Pologne, on boit de la vodka.

   — ............................................................................

5. — Au Japon, on mange avec des baguettes et on boit du saké.

   — ............................................................................

6. — Aux USA on ne boit que du coca-cola !

   — ............................................................................

7. — Au Portugal, on est très chaleureux !

   — ............................................................................

 **Par définition, c'est comme ça ! Et sans exception aucune !**

1. — Tous les hommes sont mortels, n'est-ce pas ?

   — Oui, c'est pourquoi on dit que *l'homme* est mortel.

2. — Tout le monde fait des erreurs, n'est-ce pas ?

   — Oui, c'est pourquoi on dit que .......................................

3. — Tous les jeunes sont intrépides, n'est-ce pas ?

   — Oui, ......................................................................

4. — Tous les avares aiment l'argent, n'est-ce pas ?

— Oui, .................................................................................

5. — Tous les enfants sont turbulents, n'est-pas ?

— Oui, .................................................................................

6. — Tous les soldats doivent être courageux, n'est-ce pas ?

— Oui, .................................................................................

7. — Tous les distraits ont l'air dans la lune, n'est-ce pas ?

— Oui, .................................................................................

8. — Tous les vieillards sont sages, n'est-ce pas ?

— Oui, .................................................................................

**3** **Attention ! Faites comme tout le monde !** Sinon la sagesse populaire risque de vous exclure de votre classe ou de votre catégorie !

1. Le petit Pierre pleure, aussitôt son père lui dit : « Normalement *un garçon* ne pleure pas ! » Pauvre petit Pierre ! Il ne doit plus pleurer s'il veut appartenir à la catégorie « garçon » !

2. Le même petit Pierre répond impoliment à ses parents, aussitôt son grand'père lui dit : « ......................... doit être poli avec ses parents ! » Pauvre petit Pierre, il doit être poli s'il veut appartenir à la catégorie « enfant » !

3. Pierre a maintenant 20 ans, il ne veut pas faire son service militaire, aussitôt tout le monde lui dit :

« ............................................................................... »

Pauvre Pierre, il devra faire son service militaire s'il veut rester dans la catégorie « Français » !

4. Pierre, qui vient d'avoir 30 ans, n'est toujours pas marié, tout le monde lui dit :

« ............................................................................... »

Pauvre Pierre ! il devra se marier s'il veut encore appartenir à la catégorie « homme » !

5. Pierre est ouvrier depuis longtemps mais il n'appartient à aucun syndicat : on lui répète pourtant :

« ............................................................................... »

Pauvre Pierre ! il devra se syndiquer s'il veut rester dans la catégorie « ouvrier » !

**4** **Attention aux nuances !** Il y a « généralisation » et « généralisation » !

1. — ........................... est entourée d'eau !

— Absolument ! Sinon, ce serait une péninsule !

2. — ........................................................................................... !

— Oui, malheureusement, il n'y a aucune exception ! Nous mourrons tous !

3. — ........................... doit être ouverte ou fermée !

— Ça, il faut bien l'admettre !

4. — ...........................................................................................

— Ça dépend des cas ! Moi, j'ai rencontré quelques Français qui mesuraient 1m 90 !

— Mais c'est tout à fait possible ! C'est pourquoi je parlais de façon très générale !

5. — ...........................................................................................

— Oui, absolument ! Vous avez raison, tous les médecins le disent et cela a été prouvé scientifiquement : c'est mauvais pour la santé !

6. — ...........................................................................................

— Alors, je n'appartiens plus à cette catégorie ! Je suis pourtant Anglais mais je prends un café à 5 heures, moi !

— Alors, disons « les Anglais, en général » !

— Oui, ça permet de laisser une place aux exceptions !

7. — ...........................................................................................

— Vous exagérez ! Vous ne pouvez pas généraliser de façon aussi définitive !

— Disons alors que, d'une manière générale, « les femmes » vieillissent plus vite que « les hommes » !

— Cette fois, du moins, vous laissez la place aux exceptions !

8. — .................... doit savoir faire la cuisine !

— Alors, je n'ai pas de chance ! Je n'appartiens pas à cette catégorie !

— Ça se voit !

— Mais dites donc ? ........................... doit être courtois !

Or, vous n'êtes pas courtois donc vous n'êtes pas .................... !

■ *A Paris, <u>on</u> parle le français.*
*A Paris, <u>tout le monde</u> parle le français.*
*<u>Les</u> Parisiens parlent le français.*

*En Angleterre, <u>on</u> boit du thé à 5 heures.*
*En Angleterre, <u>tout le monde</u> boit du thé.*
*<u>Les</u> Anglais boivent du thé.*

Donc, l'article défini pluriel **les** permet de généraliser en laissant, toutefois, la place à des exceptions !

■ *L'homme est mortel.*
*<u>L</u>'avare ne prête à personne.*
*<u>La</u> femme est sensible.*

Donc, l'article défini singulier **le/la** permet de généraliser mais cette généralisation n'admet aucune exception !

■ *<u>Un</u> père doit s'occuper de l'éducation de ses enfants.*
*<u>Un</u> enfant doit obéir à ses parents.*
*<u>Une</u> amie ne commet pas d'indiscrétion.*

Donc, on peut aussi généraliser en utilisant l'article indéfini singulier **un/une** mais la généralisation est alors très catégorique.

UN ENFANT
DOIT ÉVOLUER
DANS UN CLIMAT
D'AFFECTION !

# Le sapin de Noël
## 1re partie :

Une terre désertique et atrocement calcinée s'étendait jusqu'à l'horizon. Le lieu était sinistre. Des orages très violents avaient dévasté la verdoyante forêt de sapins : le feu avait tout ravagé. Des troncs tourmentés et noircis se dressaient encore vers le ciel, un ciel serein et sans nuages, malgré l'hiver. Partout le silence, un silence mortel, enveloppait ce qui avait été la plus belle exploitation forestière de la région.

**1** 1. **Relevez 2 groupes de mots qui font référence à :** *une terre désertique et atrocement calcinée*

a) ...............................................................................................

b) ...............................................................................................

2. **Pourquoi serait-il incohérent d'employer l'article indéfini** *un/une* devant ces 2 groupes de mots ?

.......................................................................................................

.......................................................................................................

**2** 1. **Observez les 3 groupes suivants :**

a) *une terre désertique et atrocement calcinée*
b) *des orages très violents*
c) *des troncs tourmentés et noircis*

Ici, l'article indéfini ***un/une/des*** permet de :

☐ présenter un élement nouveau pour la première fois ?

☐ rappeler un élément qui a déjà été présenté ?

☐ parler d'un élément présupposé connu ou considéré comme tel ?

2. **Relevez dans le texte 4 éléments présupposés connus ou considérés comme tel :**

a) ...................................................  b) ...................................................

c) ...................................................  d) ...................................................

3. **Observez dans le texte la différence :**

a) *le ciel,* *un ciel serein et sans nuages*
b) *le silence,* *un silence mortel*

Ici, l'article indéfini ***un/une/des*** permet de :

☐ présenter pour la première fois un élément nouveau ?

☐ parler d'un élément présupposé connu ou considéré comme tel ?

☐ souligner une certaine qualité particulière d'un élément présupposé connu ?

■ L'article défini **le/la/les** a une **fonction de rappel :**
il permet de parler de nouveau d'un élément dont il a déjà été question, cet élément étant maintenant considéré comme connu :

*une terre désertique* ⟶ *le lieu*
                          *l'endroit*
                          *le sol*
                          *la terre*

■ L'article indéfini **un/une/des** a une **fonction de présentation :**
il permet de présenter **pour la première fois** un **élément nouveau :**

> *On voyait jusqu'à l'horizon une terre désertique.*
> *Il y avait partout des troncs noircis.*
> *Un incendie avait tout ravagé.*

■ L'article défini permet de savoir qu'un élément est présupposé connu ou considéré comme tel (cf. p. 95) :

> *le ciel*
> *le feu*
> *les arbres*
> *l'horizon*

Toutefois, si cet élément connu possède **une certaine qualité particulière,** c'est l'article indéfini qui s'applique :

> *Un ciel serein et sans nuages.*
> *Un silence mortel.*
> *Une nuit sans lune.*

---

## Le sapin de Noël
### 2ᵉ partie

Le sol, couvert de cendres froides, s'enfonçait sous les pas du promeneur. Parfois, une odeur familière de feu de bois montait des vieilles souches où le feu s'était creusé un foyer profond. Le ciel passait calmement sur ce cimetière végétal. Des rayons de soleil s'évertuaient à réchauffer, sous les cendres, la vie qui s'y était peut-être réfugiée.
Au pied d'un sapin décapité, la lumière était chaleureusement accueillante : le promeneur, pour se reposer, s'accroupit, une main appuyée sur le tronc brûlé. Son regard suivit le manège lumineux des fines poussières descendant vers le sol et s'arrêta soudain sur un miracle de la nature : là, une pousse verte pointait vaillamment de l'humus calciné et c'était comme un espoir, un sourire : c'était un signe de la vie qui reviendrait.
Un minuscule sapin croissait gaiement sur les cendres de ses ancêtres.

---

① **Relevez dans le texte 5 cas où se manifeste la** *fonction de présentation* **de l'article :**

1. ........................
2. ........................
3. ........................
4. ........................
5. ........................

**2** Observez le groupe de mots :

*les pas du promeneur*

a) Ici, l'article défini permet de comprendre :

☐ Le promeneur dont on a déjà parlé dans le texte ?

☐ Le promeneur en général, tout promeneur ?

☐ Ce promeneur particulier qu'on montre dans le texte ?

b) **Présentez pour la première fois l'élément** *promeneur*

..............................................................................................................

**3** Écrivez la première phrase d'une histoire de pêcheur.

Donnez 2 versions de cette histoire :

a) D'abord en faisant comme si les lecteurs connaissaient déjà votre pêcheur :

..............................................................................................................

..............................................................................................................

b) Ensuite en présentant pour la première fois l'élément **pêcheur** :

..............................................................................................................

..............................................................................................................

c) De ces deux histoires, laquelle vous semble la plus neutre ? a) ?   b) ?

..............................................................................................................

**4** **Observez le groupe de mots :** *les pas du promeneur*

L'article défini **les** marque ici :

☐ qu'on nous montre *les pas* = **ces** pas **là** ?

☐ qu'on présente l'élément *pas* pour la première fois ?

☐ qu'on présuppose connu l'élément *pas* ?

☐ qu'il y a une relation d'appartenance :
*les pas du promeneur* = **ses** pas, **les siens** ?

**5** **Observez le groupe de mots :** *une main appuyée sur le tronc*

La forme du pluriel serait :

☐ **des** mains appuyées sur le tronc ?          ☐ **les deux** mains appuyées sur le tronc ?

☐ **deux** mains appuyées sur le tronc ?          ☐ **les** mains appuyées sur le tronc ?

**6** **Observez la phrase :** *Des rayons de soleil s'évertuaient à réchauffer la vie*
Pourquoi cet article indéfini ?

☐ Parce que l'élément *rayons* est présupposé connu ?

☐ Parce que l'élément *rayons* est présenté pour la première fois ?

☐ Parce qu'on parle de tous les rayons ?

☐ Parce qu'on parle de certains rayons et non pas de tous ?

**7** **Faisons le point !**

1. Tous les ans, (1) . . . incendies éclatent dans (2) . . . forêts du Midi de la France qui deviennent alors (3) . . . lieux désertiques et atrocement calcinés.

   (1) sert à présenter pour la première fois un élément nouveau.
   (2) sert à marquer l'appartenance entre deux éléments ou veut dire « toutes ».
   (3) sert à présenter pour la première fois un élément nouveau.

2. Tous les ans, (1) . . . feu se propage dans (2) . . . forêts du Midi de la France. (3) . . . terres boisées deviennent alors (4) . . . lieux désertiques et atrocement calcinés.

   (1) sert à parler d'un élément présupposé connu ou considéré comme tel.
   (2) veut dire « certaines » et non pas « toutes ».
   (3) permet de rappeler un élément dont on a déjà parlé.
   (4) sert à présenter pour la première fois un élément nouveau.

3. (1) . . . touristes se demandent toujours comment ces désastres se produisent. Là où l'été précédent, ils avaient admiré (2) . . . forêts superbement vertes, ils ne voient plus que (3) . . . terres brûlées.

   (1) sert à parler d'un élément présupposé connu de tous.
   (2) sert à présenter un élément nouveau ou bien sert à parler de « certaines » et non pas de « toutes ».
   (3) sert à présenter un élément nouveau.

4. Parfois, il suffit de très peu pour que (1) . . . incendie se déclare : (2) . . . cigarette jetée négligemment par (3) . . . touriste ; ou encore (4) . . . feu est allumé par (5) . . . orage et (6) . . . vent se charge de propager (7) . . . incendie. Ainsi, chaque année, (8) . . . efforts combinés (9) . . . agriculteurs et (10) . . . . . nature partent en fumée.

   (1) sert à présenter pour la première fois un élément nouveau.
   (2) sert à parler d'une seule unité.
   (3) veut dire « un certain »
   (4) sert à parler d'un élément connu de tous.
   (5) sert à parler d'un élément connu de tous.
   (6) sert à parler d'un élément connu de tous.
   (7) sert à parler d'un élément déjà mentionné.
   (8) sert à marquer l'appartenance entre deux éléments ou bien veut dire « tous »
   (9) veut dire que l'on parle de « tous » et non pas de « certains »
   (10) sert à parler d'un élément connu de tous.

■ • L'article défini **le/la/les** s'applique devant un élément qu'on veut montrer : c'est la situation qui suffit à comprendre que l'article **le/la/les** prend alors une valeur démonstrative **ce/cette/ces** :

| | | |
|---|---|---|
| *Regarde la femme, là-bas* | = | cette femme |
| *les pas du promeneur* | = | les pas de **ce** promeneur-**là** |
| *le sol couvert de cendres* | = | **ce** sol-**là** |
| *l'humus calciné* | = | **cet** humus-**là** |
| *les arbres noircis* | = | **ces** arbres-**là** qu'on veut montrer |
| *le sapin de Noël* | = | **ce** sapin-**là** |

• La situation permet aussi de comprendre **la relation d'appartenance** qui existe entre deux éléments : c'est alors l'article défini **le/la/les** qui est employé avec une valeur possessive comparable à celle de **son/sa/ses/leur/leurs** :

| | | |
|---|---|---|
| *les pas du promeneur* | = | **ses** pas |
| *le manège lumineux des fines poussières* | = | **leur** manège lumineux |
| *Au pied d'un sapin décapité* | = | à **son** pied |

**Remarque :** L'article défini **le/la/les** peut remplir simultanément plusieurs fonctions (fonction de rappel, fonction déictique et relation d'appartenance, par exemple !)

■ • L'article indéfini **des** permet de distinguer certains éléments parmi tous les éléments dont on parle :

| | | |
|---|---|---|
| *Le feu avait noirci les arbres* | = | **tous les arbres** de cette forêt-là |
| *Le feu avait noirci des arbres* | = | **un certain nombre** d'arbres |

• L'article indéfini **un/une** est identique au chiffre **un/une**, dans certaines situations : il signifie alors une seule unité.

| | | |
|---|---|---|
| *une main posée sur le tronc brûlé* = | | **une seule** main et non pas les deux mains. |
| *le promeneur fit un pas vers un minuscule sapin* | = | il fit **un seul pas** et non pas plusieurs, vers un certain sapin qui nous est présenté pour la première fois. |

## Points de vue et définitions :

- Les Français sont des mangeurs de pain !
- Le pain est vraiment un aliment de base en France !
- S'il y a une boisson que je déteste, c'est la bière !
- L'aliment le plus nécessaire, c'est le pain !
- La boisson la plus commune en Allemagne, c'est la bière.

**1. Observez comment se construisent les définitions :**

« *Les Français sont des mangeurs de pain* »
    ↓                    ↓

sert à parler d'un élément connu et le généralise
                    ↓

    sert à présenter un élément nouveau pour la première fois.

**2. A vous de jouer ! Donnez des définitions !**

| éléments présupposés connus : | | éléments nouveaux présentés : |
|---|---|---|
| soleil | 1 .................................... | lieu de passage |
| terre | 2. .................................... | phénomène physique |
| vent | 3. .................................... | forme de gouvernement |
| banque | 4. .................................... | astre |
| rue | 5. .................................... | organe |
| vin | 6. .................................... | planète |
| yeux | 7. .................................... | moyen de transport |
| hiver | 8. .................................... | organisme de crédit |
| république | 9. .................................... | boisson alcoolisée |
| jalousie | 10. .................................... | saison |

**1. Observez ces points de vue et notez la différence !**

a) *S'il y a une saison que je déteste, c'est l'hiver !*
         ↓                                    ↓

        présente un seul élément
        extrait de l'ensemble des
        quatre saisons                sert à parler d'un élement
                                      présupposé connu de tous

b) *La saison la plus pénible pour moi, c'est l'hiver.*
    ↓                                    ↓

    présente un élément nouveau mais
    au superlatif
                                    sert à parler d'un élément présup-
                                    posé connu de tous  ⇨

2. **Donnez maintenant votre opinion ou votre point de vue** en présentant un élément extrait de son ensemble :

boisson

sport

jeu

travail

occupation

1. .........................................................................
.........................................................................
2. .........................................................................
.........................................................................
3. .........................................................................
.........................................................................

3. **Donnez votre sentiment ou votre point de vue** en présentant un élément nouveau mais au superlatif :

ensembles proposés

pays

défaut

qualité

sentiment

forme de gouvernement

moyen de transport

religion

1. .........................................................................
.........................................................................
2. .........................................................................
.........................................................................
3. .........................................................................
.........................................................................

**3** 1. **Observez ce qui se passe** quand on a une expérience particulière à propos d'un élément présupposé connu de tous :

*J'adore le vin mais hier, j'ai bu un très mauvais vin.*

marque une opération
de généralisation

marque une opération de particularisation

2. **Donnez votre appréciation générale sur un élément présupposé connu mais dites aussi l'expérience particulière que vous en avez eu :**

le vin

le restaurant

la musique

les voyages

le cinéma

1. .........................................................................
.........................................................................
2. .........................................................................
.........................................................................
3. .........................................................................

**4** **Le choix entre** *un/une/des* **ou** *le/la/les* **est parfois limité !**
C'est le contexte qui peut vous guider ! Attention aux contraintes :

| | |
|---|---|
| **1.** Ce matin ..... homme a été retrouvé | contrainte |
| inanimé sur ..... quais de .....Seine. | contrainte |
| Il a été transporté à ..... hôpital | contrainte |
| par ..... police | contrainte |
| | |
| **2.** Demain, 11 juin, ..... soleil se lèvera | contrainte |
| à 6 heures 05, ..... ciel sera nuageux et | contrainte |
| il y aura ..... orages sur ..... Sud-Ouest. | contrainte |
| | |
| **3.** A Saint-Malo, ..... vacanciers ne sont | le choix est possible |
| pas contents ! Depuis juin, ils ont | |
| pour se baigner ..... mer qui empeste | contrainte |
| le goudron ! | |
| | |
| **4.** ..... enfant rendu à ses parents : Jacques, | le choix est possible |
| 8 ans avait disparu de ..... maison depuis | contrainte |
| vendredi, ..... enfant était allé jouer | contrainte |
| avec ses amis dans ..... parc municipal, | le choix est possible |
| après ..... école. Ses parents inquiets | contrainte |
| avaient prévenu ..... commissariat. | contrainte |
| C'est ..... gardien qui a retrouvé | le choix est possible |
| ..... petit garçon qui s'était laissé | contrainte |
| enfermer dans ..... serre de fruits | le choix demande des explications |
| exotiques. Comme ..... serre contenait | contrainte |
| ..... oranges et ..... pamplemousses, | contrainte |
| ..... petit Jacques ne s'est pas laissé | contrainte |
| mourir de faim pendant ..... week-end ! | contrainte |

107

## 5  De quoi s'agit-il exactement ? Pouvez-vous donner des détails ?

(Si vous ne connaissez pas ces œuvres, cherchez dans une encyclopédie !
Si cela est impossible, proposez 5 titres que vous connaissez bien
et dont vous pouvez parler !)

*Exemple de réponse :*

*Le* rouge et *le* noir ? c'est *un* roman *du* XIXᵉ siècle écrit par *un* auteur français : Stendhal.
Il s'agit *de l'*histoire d'*un* jeune homme pauvre mais orgueilleux qui veut réussir dans *la* vie.

# Comédie de mœurs

## L'exception confirme la règle :

« L'argent ne fait pas le bonheur », dit le proverbe mais pour un grand nombre de personnes, il est impossible d'être heureux sans argent !

Combien de gens seraient-ils satisfaits si, par exemple, ils n'avaient plus de voiture ni de résidence secondaire ? S'il n'y avait plus d'argent pour acheter télévision, appareil photo, magnétoscope, caméra ou appareils ménagers, pourrait-on encore être heureux ?

Beaucoup de consommateurs avouent avoir besoin d'argent pour s'estimer heureux ! Ni plaisir, ni bonheur sans l'argent indispensable aux loisirs, par exemple ! Pas d'argent ? Pas de bonheur !

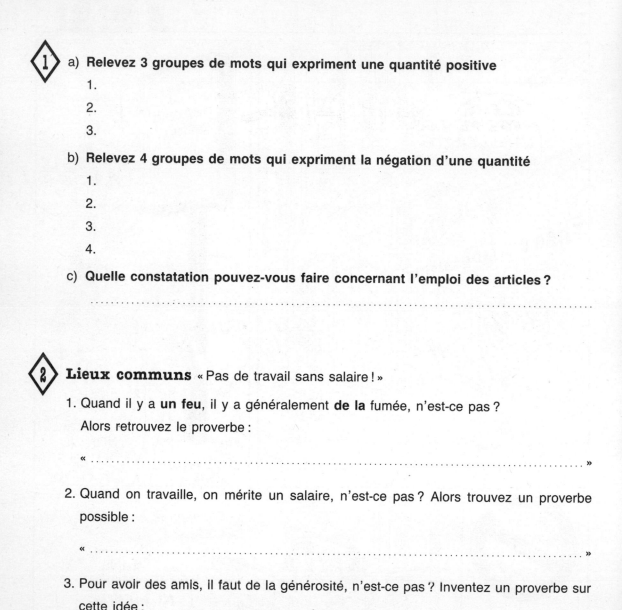

**1** a) **Relevez 3 groupes de mots qui expriment une quantité positive**

    1.

    2.

    3.

b) **Relevez 4 groupes de mots qui expriment la négation d'une quantité**

    1.

    2.

    3.

    4.

c) **Quelle constatation pouvez-vous faire concernant l'emploi des articles ?**

.................................................................................................................

**2** **Lieux communs** « Pas de travail sans salaire ! »

1. Quand il y a **un feu**, il y a généralement **de la** fumée, n'est-ce pas ?
Alors retrouvez le proverbe :

« ................................................................................................................ »

2. Quand on travaille, on mérite un salaire, n'est-ce pas ? Alors trouvez un proverbe possible :

« ................................................................................................................ »

3. Pour avoir des amis, il faut de la générosité, n'est-ce pas ? Inventez un proverbe sur cette idée :

.................................................................................................................

4. Pour faire des découvertes, il faut de la curiosité, n'est-ce pas ? Quel proverbe peut-on inventer ?

.....................................................................................................

5. Presque tout le monde pense que pour réussir, il faut être optimiste ou avoir de l'espoir : essayez de créer un proverbe sur cette idée !

.....................................................................................................

**3** **Le jeu du philosophe :** Construisez votre philosophie !

un peu ?
beaucoup
assez ?
combien ?
trop ?
énormément ?
peu ?
pas ?

TEMPS ⟶ ARGENT        RÉUSSITE

AMITIÉ        EFFORTS        BONHEUR

1. Il faut *beaucoup de* temps pour trouver un *peu d'*amitié.

2. .................................................................................................

3. .................................................................................................

4. .................................................................................................

5. .................................................................................................

**4** **Observez :**

a) *Impossible d'être heureux **sans argent.***

b) *Ni plaisir, ni bonheur **sans l'argent indispensable** aux loisirs.*

• Lequel de ces énoncés parle d'argent d'une manière ***générale***

.................................................................................................

• Lequel de ces énoncés parle d'argent d'une manière ***déterminée et très précise***

.................................................................................................

**5** Transformez le *cas général* **en cas** *déterminé et très précis :*

1. Il vit depuis longtemps **sans argent** !

.......................................................................................................................

2. Les jeunes parlent de la vie **sans enthousiasme.**

.......................................................................................................................

3. Comment peut-il vivre à la campagne **sans voiture** ?

.......................................................................................................................

4. Les consommateurs ne peuvent plus être heureux **sans loisirs.**

.......................................................................................................................

.......................................................................................................................

**6** Observez

a) **Beaucoup de consommateurs** avouent avoir **besoin d'argent** pour s'estimer heureux.
b) **Beaucoup des consommateurs que je connais** avouent avoir **besoin de l'argent qu'ils gagnent** pour s'estimer heureux.

Quelles explications pouvez-vous donner concernant l'emploi des articles :

a) ...................................................................................................................

b) ...................................................................................................................

**7** Essayez de passer de l'*idée* générale **au** *cas particulier :*

1. Beaucoup de jeunes parlent essentiellement **de musique.**

.......................................................................................................................

.......................................................................................................................

.......................................................................................................................

2. Ils ont tous envie **de sécurité** et **de calme.**

.......................................................................................................................

.......................................................................................................................

.......................................................................................................................

3. Un certain nombre **de jeunes** trouvent le bonheur **par hasard** !

.......................................................................................................................

.......................................................................................................................

.......................................................................................................................

4. Ils envisagent la vie *avec philosophie* et parfois *avec pessimisme*.

. . . . . . . . . . . . . . . . . . . . . . . . . . . . . . . . . . . . . . . . . . . . . . . . . . . . . . . . . . . . . . . . .

. . . . . . . . . . . . . . . . . . . . . . . . . . . . . . . . . . . . . . . . . . . . . . . . . . . . . . . . . . . . . . . . .

5. Peu *de jeunes* actuellement manquent *de courage*, tous ont envie *de succès*.

. . . . . . . . . . . . . . . . . . . . . . . . . . . . . . . . . . . . . . . . . . . . . . . . . . . . . . . . . . . . . . . . .

. . . . . . . . . . . . . . . . . . . . . . . . . . . . . . . . . . . . . . . . . . . . . . . . . . . . . . . . . . . . . . . . .

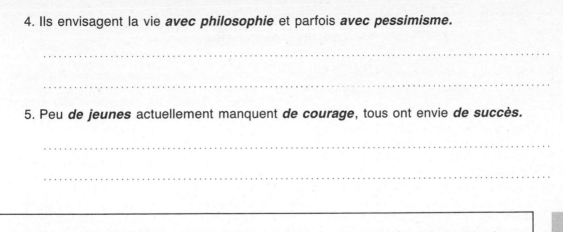

■ **Effacement de l'article** devant les noms pris dans leur sens le plus **général** (opération de généralisation) si ces noms sont précédés d'un adverbe ou d'une expression de **quantité** :

*Beaucoup de gens ont répondu à nos questions.*
*Peu de gens se plaignent de leur travail.*
*Ils désirent assez d'argent pour leurs loisirs.*
*Ils ont trop de soucis pour être heureux.*

**Effacement de l'article** à la **forme négative** pour l'article partitif **du/de la** et l'article indéfini **un/une/des,** lorsque le nom est pris dans son sens le plus **général** :

— *Les gens ont du temps pour leurs loisirs ?*
— *Non, ils n'ont pas de temps pour s'amuser !*
— *Ils avaient une voiture et une résidence secondaire n'est-ce pas ?*
— *Oui, mais ils n'ont plus de voiture ni de résidence !*
— *Pas de temps ? Pas de bonheur !*

**Effacement de l'article** après **sans**, lorsque le nom est pris dans son sens le plus **général** :

*Sans argent, pas de vacances !*
*Sans voiture, pas de vacances !*
*Sans patience, point de réussite !*

Attention à la préposition **avec** :
l'article ne s'efface que si le nom, pris dans son sens le plus général, est **abstrait** :

*avec amour*          mais          *avec un couteau*

*avec impatience*                   *avec un bon salaire*

**Effacement de l'article** devant les noms pris dans leur sens le plus **général** (opération de généralisation) si les noms sont précédés de certaines locutions verbales telles que :

**avoir besoin** et **avoir envie de** :
*Les gens ont besoin de loisirs et de vacances.*
*Les gens ont aussi envie de repos et de bon temps.*

■ Dans tous les cas précédents, **présence de l'article** devant les noms déterminés donc pris dans un sens **particulier** , (opération de particularisation) :

*Ils dépensent en loisirs beaucoup de l'argent qu'ils gagnent.*
*Ils n'ont plus une voiture assez grande pour leur famille.*
*Ils ne peuvent pas vivre sans l'argent qui leur est nécessaire.*
*Ils sont heureux avec l'amour qu'ils reçoivent de leurs enfants.*
*Ils ont besoin de l'argent qu'ils gagnent.*
*ils ont envie des vacances dont ils rêvent.*

## Jeu des devinettes :

• Qu'y a-t-il de commun entre un stylo à encre ? Un bateau à vapeur et un briquet à gaz ?
Rien du tout ! Mais pourtant, on pourrait dire que le stylo « fonctionne » avec de l'encre, le bateau « fonctionne » avec de la vapeur et c'est le gaz qui permet au briquet de fonctionner !

• Et maintenant, qu'y a-t-il de commun entre une boîte à lettres, une fourchette à dessert et un plateau à fromage ?
Rien du tout ? Vous avez tort ! Ils peuvent être tous les trois vides ! On pourrait dire aussi que tous les trois « servent à quelque-chose » de précis : la fourchette sert uniquement à manger les desserts, le plateau sert uniquement à poser les fromages et la boîte sert à déposer le courrier !

• Et enfin, qu'y a-t-il de commun entre une robe à fleurs, un chapeau à plumes et une armoire à glace ?
Vous donnez votre langue au chat ? La robe est « décorée » ou « ornementée » ou « enjolivée » par des fleurs imprimées, le chapeau par des plumes et l'armoire par un miroir !

 **Jeux :** Choisissez la bonne définition pour les objets suivants :

1. Un étui à lunettes ?

   ☐ qui fonctionne avec une énergie spéciale : les lunettes (CH-02-EMC2).

   ☐ qui sert à ranger les lunettes quand on n'en a plus besoin.

   ☐ qui est décoré, agrémenté de petites lunettes miniatures.

2. Un moulin à vent ?

   ☐ qui fonctionne grâce à l'énergie du vent.

   ☐ qui sert à moudre le vent quand il est trop dur.

   ☐ qui est décoré, enjolivé de petits visages joufflus soufflant du vent.

3. Un char à bancs ?

   ☐ voiture qui fonctionne grâce au mouvement de deux bancs.

   ☐ voiture qui sert à ranger les bancs quand plus personne ne veut s'asseoir dessus.

   ☐ voiture ancienne agrémentée de bancs, ce qui permettait aux passagers de voyager plus confortablement

2 **Ça fonctionne ! Mais qu'est-ce que c'est ?**

| encre | ..................................................... | voiture |
| gaz | ..................................................... | appareil |
| réaction | ..................................................... | planche |

| | | |
|---|---|---|
| pétrole | *une lampe à pétrole* | moulin |
| essence | ............................................. | bateau |
| cheval | ............................................. | avion |
| voile | ............................................. | moteur |
| eau | ............................................. | lampe |
| pédale | ............................................. | fusée |
| roue | ............................................. | stylo |

**3** **Vous connaissez la « tasse à vapeur » ?** C'est sûrement une nouvelle création !
Retrouvez les compositions plus classiques :

tasse à vapeur/assiette à pédale/couteau à roue/train à thé/voiture à dessert/moulin à beurre

1. ...................................................................................
2. ...................................................................................
3. ...................................................................................
4. ...................................................................................
5. ...................................................................................
6. ...................................................................................
7. ...................................................................................

**4** **Comment ça s'appelle ?**

1. Ce qui sert à couper le pain ? ......................................................
2. Ce qui sert à boire le thé ? ........................................................
3. Ce qui sert à manger la soupe ? ....................................................
4. Ce qui sert au dessert ? ............................................................
5. Ce qui sert à ranger les bijoux ? ..................................................

**5** **Décorez ou agrémentez les objets suivants :**

| | | |
|---|---|---|
| tissu | ...................................... | franges |
| pantalons | ...................................... | fleurs |
| chemise | ...................................... | carreaux |
| robe | ...................................... | motifs |
| lit | ...................................... | plumes |
| chapeau | ...................................... | pois |
| rideaux | ...................................... | baldaquin |
| | ...................................... | pinces |

| Test du vrai gastronome : | oui | non |
|---|---|---|
| Savez-vous ce que c'est qu'une sauce aux champignons ? | | |
| Connaissez-vous le coq au vin ? | | |
| Avez-vous déjà goûté un lapin à la moutarde ? | | |
| Pouvez-vous préparer un bœuf aux carottes ? | | |
| Aimez-vous les poireaux à la vinaigrette ? | | |
| Choisiriez-vous un beefsteak à l'échalotte ? | | |

## 6 Établissez un menu artistique !

— Hors d'œuvre  ...............................................
   ...............................................
   ...............................................

— Plat principal  ...............................................
   ...............................................
   ...............................................

— Dessert  ...............................................
   ...............................................
   ...............................................

## Dilemne

Quelle différence y a-t-il entre un plateau de fromages et un plateau à fromage ? Un verre de vin et à un verre à vin ? Une tasse de café et une tasse à café ?
Vous avez certainement trouvé ! Si vous ne voyez pas la différence, vous risquez de mourir de faim ou de soif !!

## 7

1. Quand vous avez très soif prenez ...................

2. Si vous servez du vin à table, n'oubliez pas de le servir dans ...................

3. Les fromages se présentent de préférence sur ...................

4. N'oubliez pas de poser un couteau ........................... sur votre ...............
   ............. ! Sinon vos invités auront de la difficulté à se servir ................. !

5. N'ouvrez pas votre ........................... avant l'arrivée des invités ! Le champagne
   doit être bien frais, ne l'oubliez pas !!

116

**8** **Pour dessiner un portrait !** Prenez un élément de Ⓐ et reliez-le à un élément de Ⓑ. Imaginez la catastrophe si c'était vrai !

| Ⓐ | | Ⓑ |
|---|---|---|
| taille | ........................... | guêpe |
| mains | ........................... | fée |
| pieds | ........................... | éléphant |
| teint | ........................... | rose |
| cou | ........................... | girafe |
| yeux | ........................... | braise |
| langue | ........................... | vipère |
| rire | ........................... | chouette |
| yeux | ........................... | biche |
| dents | ........................... | loup |

■ • Effacement de l'article entre deux noms reliés par la préposition **à** :

*une tasse à thé*          *une robe à fleurs*
*un moulin à vent*          *un tissu à motifs*
*des patins à roulettes*

le second nom exprime **à quoi sert** le premier nom ou **comment fonctionne** le premier nom ou **avec quoi est décoré** le premier nom, il possède une valeur déterminative et peut être paraphrasé par une proposition relative :

*une tasse à thé*    =    une tasse qui sert à contenir du thé
*un moulin à vent*    =    moulin qui fonctionne grâce au vent
*une robe à fleurs*    =    une robe qui est décorée avec des fleurs

• Effacement de l'article entre deux noms reliés par la préposition **de** :

*une tasse de café*          *une taille de guêpe*
*un verre de vin*          *des mains de fée*

le second nom exprime :
ou bien **ce que contient** ou bien **à quoi ressemble** le premier nom :

*une tasse de café* = une tasse qui contient du café
*des mains de fée* = des mains comparables à celle d'une fée

il peut également indiquer en quoi est fait le premier nom :
*des bas de soie* = des bas faits de soie
*une jupe de toile* = une jupe faite en toile

• **Remarque**
Présence de l'article après la préposition **à** dans les cas de :

— Noms de plats culinaires
    *bœuf aux carottes*
    *salade à la vinaigrette*
    *canard à l'orange*

— Noms de certaines œuvres d'art
    *Vierge à l'enfant*
    *Enfant aux oiseaux*

# DOSSIER 9

## Spectacles 2000

## Débat télévisé : B. Pavot reçoit le romancier Jacques Poirier

— Alors, Jacques Poirier, vous faites encore parler de vous ! Vous venez à peine de terminer votre 10e roman et vous voilà en train de publier le 11e aux éditions du Seuil ! C'est quand même formidable ça !

— En effet, j'aime faire parler de moi, j'ai effectivement besoin d'être connu et c'est pourquoi j'écris beaucoup ! En fait, si ce n'était pas pour la célébrité, je n'écrirais pas autant ! Je suis bien trop paresseux !

— C'est quand même une admirable réussite ! Vous êtes toujours adoré par le public ! Presque tout le monde a lu vos romans policiers ! A peine sont-ils sortis qu'ils sont déjà vendus !

— En effet, je peux dire que mes livres se vendent bien, c'est au moins un plaisir !

— Pourquoi ? Vous n'avez pas d'autres plaisirs dans la vie ?

— A peine ! Du moins je n'en trouve pas pour l'instant !

— Mais vous avez une belle vie, quand même ! Vous habitez toujours votre château, n'est-ce-pas ? Vous avez au moins 3 voitures de courses ! Vous n'êtes pas à plaindre, tout de même !

— En effet, économiquement, je ne suis pas à plaindre. Mais, en fait, je ne suis pas un homme heureux : je suis un peu morose, un peu taciturne, un peu timide.

— Ça, du moins ça ne se voit pas !

— En effet, je cache bien mon jeu, surtout à votre émission ! Mais, en fait, je suis un homme tourmenté !

— En tout cas, ça ne se voit pas !

— Non, presque pas ou à peine ! Mais ce n'est quand même pas si facile de toujours inventer de nouvelles histoires ! En fait, je suis condamné à écrire ou à être oublié. D'ailleurs, un jour viendra où je devrai m'arrêter d'écrire !

— Pas tout de suite, au moins !

— Le plus tard possible, bien entendu ! D'ailleurs, je pense déjà au sujet de mon prochain roman !

— Vous pouvez nous en parler un peu ?

— Oui, mais pas trop, hein ! Parce que je ne veux pas dévoiler tous mes secrets !

— Donnez-nous au moins le titre de ce prochain roman !

— Ça, je peux toujours vous le dire ! D'ailleurs, ce n'est un secret pour personne ; du moins tous mes lecteurs sont au courant ! J'ai décidé que mon 12e roman serait autobiographique !

— Vraiment ?

— Oui, je pense en effet intituler mon prochain roman : « Jacques Poirier ».

— En effet, ce titre est célèbre ! Ce sera encore un « best seller » !

**1** **Observez un premier emploi de** *encore*

— Votre prochain roman sera **encore** un roman policier ?
— Ah non, pas cette fois-ci ! Ce sera pour une fois une autobiographie !
— A mon avis, ce sera **encore** un « best seller » !
— Oui, espérons que ce sera une fois de plus un « best seller » !
— Avec cette autobiographie, vous allez de nouveau faire parler de vous !
— Mais je ne fais jamais parler de moi !
— C'est faux ! Aujourd'hui, par exemple, on parle **encore** de vous !

**Relevez deux synonymes de ce premier emploi de** *encore* :

1. ......................................................................................................................
2. ......................................................................................................................

**Relevez deux formes négatives de** *encore* :

1. une négation relative : ................................................................................
2. une négation absolue : ................................................................................

**Observez un deuxième emploi de** *encore* :

— Vous avez *encore* vos voitures de course ?
— Oui, je les ai toujours et je continue à les conduire.
— Vous les conduisez *encore* ?
— Oui, jusqu'à présent ! Mais bien sûr, dans quelques années, je ne les conduirai plus, je serai trop vieux !
— Et des chevaux de course, vous en avez *encore* ?
— Mais je n'en ai jamais eu !
— Excusez-moi ! Je croyais que vous faisiez toujours du cheval !
— J'en ai fait mais je n'en fais plus depuis longtemps !

**Relevez un synonyme de ce deuxième emploi de** *encore* :

...............................................................................................................................

**Relevez une paraphrase de ce deuxième emploi sens de** *encore* :

...............................................................................................................................

**Relevez deux formes négatives de** *encore* :

1. une négation relative : ...................................................................................................
2. une négation absolue : ..................................................................................................

 **Remplissez le tableau suivant :**

|  | synonymes | négation relative | négation absolue |
|---|---|---|---|
| *encore* premier emploi | | | |
| *encore* deuxième emploi | | | |

 **Observez deux emplois de** *toujours* :

— Vous avez *toujours* aimé écrire, n'est-ce pas ?
— Oui, l'écriture est ma seconde nature ! Je crois que j'écris depuis *toujours* ! Je n'ai jamais cessé d'écrire !
— Et vous écrivez *toujours* des romans policiers !
— Oui, très souvent mais pas *toujours* !
— On m'a dit que vous adoriez les auteurs américains vous les aimez *toujours* ?
— Jusqu'à présent, oui ! Je les apprécie encore ! Mais qui sait ? Demain je ne les aimerai plus ! Pour l'instant, je continue à penser que la littérature américaine est géniale !

**Paraphrasez un premier emploi de** *toujours* :

« Vous avez *toujours* aimé écrire » : ...........................................................................

...............................................................................................................................

**Relevez un autre exemple de cet emploi :**

« ..................................................................................................................... »

**Relevez deux négations de cet emploi de** *toujours* :

1. une négation relative : .......................................................................................

2. une négation absolue : .......................................................................................

**Paraphrasez un deuxième emploi de** *toujours* :

« Vous les aimez **toujours** ? » : ...........................................................................

...............................................................................................................................

**Relevez un synonyme de ce deuxième emploi de** *toujours* :

...............................................................................................................................

**Relevez la négation relative de ce deuxième emploi de** *toujours* :

...............................................................................................................................

⟨5⟩ **Remplissez le tableau suivant :**

|  | synonymes | négation relative | négation absolue |
|---|---|---|---|
| *toujours* premier emploi |  |  |  |
| *toujours* deuxième emploi |  |  |  |

⟨6⟩ **Observez et comparez les emplois de** *encore* **et** *toujours* :

— Vous habitez **encore** votre château ?
— Oui, bien sûr ! Je l'habite **toujours** ! Mais pourquoi ce « encore » ? Ça vous dérange que j'habite un château ?
— Pas vraiment, mais je trouve ça bizarre, quand même !

**Quelle pourrait être la réponse négative à la première question :**

— Vous habitez **encore** votre château ?
— .......................................................................................................................

**Ici,** *encore* **et** *toujours* **ont presque le même sens mais il semble y avoir une nuance : laquelle, selon vous ?**

**encore** : .............................................................................................................

.............................................................................................................................

**toujours** : ...........................................................................................................

.............................................................................................................................

**7** **Vérifiez la nuance entre** *encore* **et** *toujours*, **lorsqu'ils sont synonymes** :

a) « Depuis 20 ans, Quel succès ! Vous êtes *toujours* adoré du public ! »
b) « Depuis quelques années, votre succès diminue mais vous êtes *encore* adoré du public ! »

**A vous de jouer ! Trouvez la bonne solution !**

| | |
|---|---|
| 1. vous êtes encore jeune ! | a. sert à constater/vérifier objectivement un fait connu |
| 2. vous êtes toujours écrivain ? | |
| 3. vous avez encore écrit un roman ? | |
| 4. vous êtes toujours célibataire ? | b. sert à montrer une nouvelle répétition d'un fait connu |
| 5. vous êtes encore célibataire ? | |
| 6. vous avez encore acheté une voiture ? | |
| 7. vous avez encore votre château ? | c. sert à apporter un jugement critique (positif ou négatif) |
| 8. vous habitez toujours votre château ? | |

**8** **Observez les emplois suivants et distinguez-les !**

a) — Vous avez lu les romans de Jacques Poirier ?
— Pas encore ! Mais j'espère bien les lire un jour !

b) — Vous avez fini votre premier roman ?
— Toujours pas, malheureusement !

c) — Vous êtes formidable ! Merveilleux !
— Pas toujours !

**Deux de ces trois réponses sont presque synonymes : quelles sont-elles ?**
1. ........................................................................................
2. ........................................................................................

**Deux de ces trois réponses servent à constater objectivement un fait connu : quelles sont-elles ?**
1. ........................................................................................
2. ........................................................................................

**Une de ces trois réponses sert à apporter un jugement critique : quelle est-elle ?**
1. ........................................................................................

**9** **Que devient donc Jacques Poirier ?**

**Expliquez votre choix de** *toujours* **ou** *encore* :

*explication*

— Que devient Jacques Poirier ? il écrit ................. des romans ?
— Oui, il a ................. publié un roman la semaine dernière !
— C'est ................. un roman policier ?
— Bien sûr !
— Et ses lecteurs ne sont ................. fatigués ?
— Non, il est ................. très apprécié mais un peu moins qu'avant peut-être.
— Il s'intéresse ................. aux voitures de courses ?
— Oui, il en a ................. acheté une ce mois-ci !

**Observez et comparez les emplois de** *presque* **et** *à peine* :

### 1. Echos !

— On dit que Jacques Poirier est tourmenté mais ça se voit *à peine* !
— C'est vrai ! Ça ne se voit *presque pas*, mais il est tourmenté.
— J'ai lu les romans de Paul Bouleau : ils sont, paraît-il, comiques mais j'ai *à peine* ri.
— C'est exact ! Je n'ai *presque pas* ri, moi non plus et pourtant, ils sont soi-disant comiques, ses romans !
— Paul Bouleau se dit écrivain alors qu'il a *à peine* publié !
— Tu as raison ! Il n'a *presque pas* publié mais c'est quand même un écrivain !
— Tu sais qu'il est *à peine* connu !
— C'est vrai, il n'est *presque pas* connu mais ça viendra peut-être !

### 2. Mauvaises langues !

— Paul Bouleau publie *à peine* 1 roman tous les 5 ans !
— Par contre, Jacques Poirier en publie *presque* 4 par an !
— Oui, mais Paul Bouleau a *à peine* 25 ans, c'est un débutant !
— Jacques Poirier, lui, a *presque* 60 ans, il a une grande expérience !
— Je pense qu'une vingtaine de personnes *à peine* connaît le nom de Paul Bouleau !
— Alors que *presque* tout le monde connaît Jacques Poirier !

 **Observez les constructions possibles de** *à peine* **dans son sens temporel de** *« venir tout juste de... »*

Vous avez *à peine* publié votre dixième roman et vous en terminez un autre !
*A peine* avez-vous publié votre dixième roman que vous en terminez un autre !

Vos livres sont *à peine* sortis qu'ils sont déjà vendus !
*A peine* vos livres sont-ils sortis qu'ils sont déjà vendus !
*A peine* sortis, vos livres sont déjà vendus !

Votre dixième roman est *à peine* publié *que* vous en terminez un autre !
Votre dixième roman *à peine publié*, vous en terminez un autre !

 **L'effet pub de l'émission de B. Pavot c'est** *à peine* **croyable !**

— J'ai ................. vu l'émission de Pavot hier soir. Des amis sont arrivés et nous avons bavardé au lieu de l'écouter !

— Tu n'as rien perdu ! Ils n'ont ......... rien dit ! J'ai trouvé que Pavot s'était ......... moqué de Jacques Poirier et celui-ci a ......... parlé de ses livres ! Tu sais, il est ......... fou, ce Jacques Poirier ! Il publie ......... un roman par an : il ne doit rien faire d'autre !

— Ça, je ne pourrais pas te répondre : je le connais ......... Je n'ai ......... rien lu de lui. C'est ......... si je me rappelle son nom !

— Ça, c'est ......... impossible ! On lui fait tellement de publicité ! ......... a-t-il publié un livre qu'aussitôt Pavot l'invite !

— Oui, et puis ......... Pavot l'a-t-il invité que tous ses livres sont déjà vendus !

— Ça, c'est l'effet « pub » de Pavot !!

■ **Encore** dans son sens « discontinu » veut dire **une fois de plus, de nouveau**.

**Encore** dans son sens « continu » veut dire **toujours**. Sa forme négative relative est **ne ... plus**. Sa forme négative absolue est **ne ... jamais**.
— *Vous avez <u>encore</u> cassé une tasse !*
— *Mais je <u>n'</u>ai <u>jamais</u> cassé de tasse de ma vie !*
— *Et celle-ci, alors ?*
— *Pardon, je <u>ne</u> recommencerai <u>plus</u> !*

— *Vous travaillez <u>encore</u>, à cette heure ?*
— *Oui, mais bientôt je <u>ne</u> travaillerai <u>plus</u> !*
— *Moi, je <u>ne</u> travaille <u>jamais</u> ! Je m'amuse à travailler !*


■ **Toujours** a un sens « continu » et veut dire « de façon constante ».
　　　Sa forme négative absolue est : **ne ... jamais**
　　　Sa forme négative relative est : **pas toujours**

**Toujours** a un sens continu allant d'une date déterminée dans le passé et jusqu'à maintenant il est alors synonyme de **encore**
　　　Sa négation relative est **ne ... plus**
　　　Sa négation absolue est **ne ... jamais**
— *Il est <u>toujours</u> content ?*
— *<u>Pas toujours</u> ! je dirais même qu'il <u>n'</u>est <u>jamais</u> content.*
— *Il habite <u>toujours</u> Paris ?*
— *Non, il <u>n'</u>habite <u>plus</u> Paris, il habite Rome maintenant.*
— *Oui, il habite Rome ! Mais sachez qu'il <u>n'</u>a <u>jamais</u> habité Paris !*


■ **A peine = presque pas**
— *J'ai à peine mangé !*
— *C'est vrai ! tu n'as presque pas mangé !*


■ **A peine ≠ presque :**
*Elle a à peine 30 ans !* = c'est peu !
*Elle a presque 30 ans.* = c'est son âge.


■ **A peine** dans son sens temporel veut dire : « *venir tout juste de* »
*Il est <u>à peine</u> arrivé et le voilà reparti !*

**A peine** appelle l'inversion (verbe-sujet) dans le langage soutenu :
*A peine <u>est-il arrivé</u> qu' il repart !*

**A peine** peut introduire une participiale (participe passé seul) lorsque le participe se conjugue avec *être* :
*<u>A peine arrivé</u> et le voilà parti !*
*<u>A peine publiés,</u> ses livres sont déjà vendus !*

**Observez les énoncés suivants et notez les différences d'emploi de** *en effet, en fait, d'ailleurs* :

1. — Vous faites encore parler de vous !
   — *En effet*, j'aime faire parler de moi ! *D'ailleurs,* qui n'aimerait pas ça ?

2. — Vous faites encore parler de vous !
   — *En fait*, je n'aime pas qu'on parle de moi, mais je suis obligé de faire parler de moi pour vendre mes livres ! *D'ailleurs*, ce sont surtout les médias qui sont responsables de ma publicité !

3. — Vous n'êtes pas à plaindre, tout de même !
   — *En effet*, économiquement, je ne suis pas à plaindre ! *D'ailleurs*, vous non plus, vous n'êtes pas à plaindre, il me semble !

4. — Vous n'êtes pas à plaindre, tout de même !
   — *En fait*, je suis vraiment à plaindre, parce que je suis très seul, donc très malheureux ! *D'ailleurs*, personne ne me comprend.

 **D'accord ? Pas d'accord ?**

1. — Je trouve que cet auteur est vraiment trop riche :
   — En fait, ...............................................................................................................

   ............................................................................................................................

   D'ailleurs, ............................................................................................................

   ............................................................................................................................

2. — J'ai entendu dire que son prochain roman serait autobiographique
   — En effet, .............................................................................................................

   ............................................................................................................................

   D'ailleurs, ............................................................................................................

   ............................................................................................................................

3. — Je crois que tous ses romans se vendent très bien !
   — En fait, ...............................................................................................................

   ............................................................................................................................

   D'ailleurs, ............................................................................................................

   ............................................................................................................................

4. — Il paraît que Bernard Pavot invite très souvent Jacques Poirier à son émission du vendredi soir.
   — En effet, .............................................................................................................

   ............................................................................................................................

   D'ailleurs, ............................................................................................................

   ............................................................................................................................

■ **En fait, en effet, d'ailleurs** permettent d'argumenter le discours :

**En fait** introduit une **restriction**, une **infirmation** de l'information précédente : l'emploi de **en fait** indique qu'« en réalité » l'information précédente n'est pas exacte :

> — *Vous aimez beaucoup écrire, n'est-ce-pas ?*
> — *En fait, je n'aime pas écrire mais c'est la seule chose que je sache faire pour gagner ma vie !*

**En effet** introduit une **confirmation globale** de l'information précédente et permet de la développer ou de la préciser :

> — *Vous aimez beaucoup écrire, n'est-ce pas ?*
> — *En effet, j'adore écrire, c'est un véritable plaisir pour moi*

**D'ailleurs** introduit une **parenthèse justificative** ou une **parenthèse explicative** à propos de l'information précédente :

> — *Vous aimez beaucoup écrire, n'est-ce-pas ? D'ailleurs, vous l'avez dit dernièrement à l'émission de B. Pavot !*
> — *Oui, j'aime écrire ; d'ailleurs, c'est assez normal puisque j'ai été élevé dans une famille d'écrivains !*
> — *Ce n'est pas une raison suffisante !*
> — *Dans mon cas, si ! D'ailleurs, cela doit être vrai pour de nombreux écrivains !*


■ **Au fait** introduit un **nouveau thème** à propos d'un élément précédent, par association, juxtaposition de pensées. **Au fait** introduit soit des détails supplémentaires sur un thème, soit un changement de thème dans la conversation :

> — *Vous allez souvent au théâtre et vous aimez beaucoup le cinéma ; au fait, avez-vous vu le dernier film de Lelouch ?*
> — *Oui, et je l'ai beaucoup apprécié ! Surtout cette admirable scène des amants dans la tempête de neige ! C'était de toute beauté !*
> — *Au fait, vous irez en Savoie pour les jeux Olympiques de 1992 ?*
> — *J'y compte bien !*

**16** Question épineuse !

**1. Observez l'emploi de** *au moins* **dans le sens de** *en tout cas* **et les différentes places que cette expression occupe :**

— Est-ce que tous les romanciers possèdent des voitures de course ?
— Je ne sais pas ! Mais Jacques Poirier, *au moins*, en possède quelques-unes.
— Est-ce que Jacques Poirier chante ? danse ? fait du golf ? voyage ?
— Ça, je ne sais pas mais il écrit, *au moins* !
— Est-ce que Jacques Poirier possède beaucoup de voitures de course ?
— Je sais qu'il en possède *au moins* trois, mais il en a peut-être plus !

**2. Observez l'emploi de** *du moins* **dans le sens de** *en tout cas* **et ce que cette expression modifie :**

— Il paraît que tout le monde connaît le titre du prochain roman de Jacques Poirier !
— Ça, je n'en sais rien ! Mais c'est *du moins* ce qu'il dit !
— Il paraît que cet auteur est morose et taciturne, c'est vrai ?
— Peut-être ! *Du moins*, c'est ce qu'il a dit à Pavot, l'autre jour !
— Jacques Poirier est vraiment riche ?
— Il gagne bien sa vie, *du moins* !
— Il est sympathique ?
— Ah ! Non ! *Du moins,* ça ne se voit pas ! Il a l'air trop fier pour ça !

**17** Vous n'avez pas saisi ?

**Essayez** *au moins* **de répondre !** *Du moins,* **c'est la règle du jeu !**

1. — Savez-vous combien de voitures de courses possède Jacques Poirier ?
   — .............. 3 ! Ça je le sais, mais il en a peut-être plus !
2. — Savez-vous quel sera le titre de son prochain roman ?
   — Oui, « Jacques Poirier ! » c'est .............. ce qu'il a annoncé !
3. — Savez-vous combien il gagne par mois ?
   — .............. 30 000 F ! sinon, il ne pourrait pas habiter un château !
   .............. c'est ce que je pense, mais je me trompe peut-être !
4. — Est-ce que c'est un bon auteur ?
   — Je ne le sais pas, mais c'est ce que disent les médias, .............. !

---

■ **Au moins** et **du moins** veulent dire « en tout cas » et marquent une **restriction**.
**Au moins** modifie **un élément** de la phrase et le marque en quantité :
  — *Tous les enfants sont sortis ?*
  — *Je ne sais pas mais Jacques <u>au moins</u> est sorti.*
  — *Ils ont lu tous les journaux ?*
  — *Peut-être pas mais ils ont lu <u>au moins</u> Libération !*

**Du moins** mofidie l'ensemble de la phrase en en restreignant la portée :
  *Les enfants sont tous sortis ! C'est <u>du moins</u> ce que prétend leur mère !*
  *Ce journaliste écrit mal ! <u>Du moins</u>, je ne comprends rien à ce qu'il veut dire.*

■ **Du moins** et **au moins** appellent l'inversion (verbe/sujet) en langage soutenu :
  *Ils n'ont certainement pas lu tous les journaux, <u>du moins</u> (au moins) <u>ont-ils lu</u> Libération !*

Ce dernier exemple montre que **du moins** et **au moins** sont parfois dlfflciles à distinguer quand on ne peut pas facilement décider si **la restriction** porte sur un élément ou sur l'ensemble de la phrase.

Aubin Imprimeur, 86240 Ligugé. — D.L. juillet 1988 — Édit. 10798 — Impr. L 27714